KB196469

✱ 내 마음의 스토리

30초 동안 머무는 영혼

이규각 지음

Long run 롱런

Long run **롱런**

30초 동안 머무는 영혼
지은이 이규각 2012. 8. 27. 1판 1쇄 발행 **발행처** *Long run* **롱런**
발행인 이규각 **등록 번호** 제 384-2008-000039호
등록 일자 2008. 12. 04.
주소: 경기도 안양시 만안구 안양 8동 466-9 (우편 번호: 430-018)
전화: 017-291-2246 · **팩스**: (031)477-2727

책머리를 쓰다

내가 이 글을 쓰는 것은 평범한 나의 일상을 사랑하기 때문이다. 어떤 경우든, 어딜 가든, 왜 그렇게 살든, 그리움을 찾기 위한 일생의 작업 중 일부이다. 내 글 중에 난해한 부분이 있다고는 하나 그것은 공감할 수 있는 시간적 여유와 그것을 이해하려는 주변의 사람이 없기 때문이다.

내가 머물고 있는 곳의 세계에서 나만의 모습으로 나를 보이는 작업이 오랜 시간을 관통하여 이 건조한 현실의 감정을 이상의 저편 무지개 꿈 되게 하고 싶다.

누구든 자기 자신의 영감에 취해 글을 쓴다. 그 영감이 또 다른 영감으로 누군가의 가슴에 단비를 내린다면 못 견디게 그리움으로 착각할 것이다. 이 얼마나 행복한 일인가. 이 얼마나 꿈 같은 일인가. 하나, 일상은 내 뜻대로 되질 않아 나의 모습은 사라지고 일그러진다. 이쯤에서 나는 긴 하품을 탐익하기도 하지만 이내 훌훌 털고 힘껏 글을 쓰려 하니 희망이 보인다. 훌륭한 글은 아니라 해도 훌륭한 생각은 아니라 해도 그때그때 일상의 영감에 잠기는 것뿐이다.

나에게 관심을 가질 주변은 없겠지만 그래도 그 많은 사람들 가운데 단 한 사람 좋다 하면 행복하다. 이 한 사람을 위해 나는 오랜 세월 글을 쓴다. 앞으로도 얼마만큼 더 좋은 글을 쓸지는 모르나 그 누구 한 사람과 공감할 수 있는 그런 날을 기다리며 오늘도 이 세상의 한 복판을 서성댄다. 사랑하는 독자를 위해…

저자

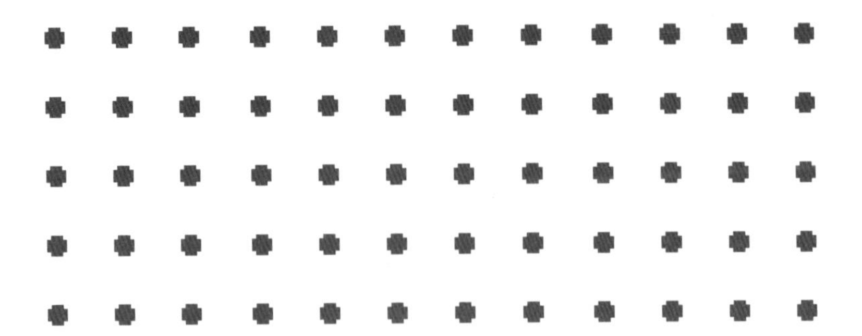

목차

나는 당신이

언제나 행복했으면 좋겠습니다.

이규각

생명의 빛

태초의 빛이 어둠으로 숨쉬고 있다면 그 어둠이 생명입니다
어둠으로부터 빛을 밝히려 하는 것은 어둠을 사랑하기 때문
입니다

어둠은 빛으로부터 시작됩니다

아주 작은 틈 사이로 한 줄기 빛이 생명을 전하려 한다면
생명은 영혼을 꿈꾸어 살아가는 풀잎의 흔들림과 같습니다

*내 마음의 스토리

생명이 있는 한 희망은 있습니다. 희망은 모든 것이 잘될 것이라고 가르치고, 실망은 모든 것이 안될 것이라 가르칩니다. 실망은 사물을 부정적인 눈으로 보게 하지만 희망은 사물을 긍정적인 눈으로 보게 하기 때문입니다.

빛에 대하여

보이지 않는 곳에서 빛깔은 숨어 삽니다
희게 희게 내일을 위해 삽니다

생명을 숨쉬며 무지개를 품고 삽니다
빨간 꽃
하이얀 꽃
빛의 그리움으로 삽니다

*내 마음의 스토리

마음을 비우고 자연을 바라보면 빛이 맑고 풍경이 아름답다는 것을 깨닫게 됩니다.
오염되지 않은 곳에서 더욱 빛은 아름답습니다. 이와 같이 사람의 마음도 욕심이 없는 깨끗한 빛의 그리움 속에서 맑아집니다.

바보 앵무새

앵무새가 TV로 뛰어들더니 바보라고 말했다 / 앵무새가 신문으로 뛰어들더니 바보라고 말했다 / 앵무새가 불로 뛰어들더니 바보라고 말했다. 앵무새 1마리, 앵무새 2마리, 앵무새 3마리, 3마리 중 한 마리가 울었다 / 포악하게 이글거리는 늑대 앞에서 옛날 옛적 2마리의 앵무새는 웃고 있었다 / 늑대 1마리 또 늑대 1마리 물어 뜯고 내일은 우리가 양인데 내일은 우리가 양인데 / 꿈꾸지 마라 / 적어도 늑대 앞에서 적어도 앵무새 앞에서 죽는다면 피를 흘리리라 /
늑대를 잡아먹어라 / 앵무새를 잡아먹어라 / 이 땅의 앵무새를 위해 한 마리의 앵무새가 있는 동안 피를 흘리리라 /

*내 마음의 스토리

남을 모함하는 것은 무기를 사용해서 사람을 해치는 것보다 죄가 무겁습니다. 무기는 가까이 가지 않으면 상대를 해칠 수 없으나 모함은 멀리서도 사람을 해칠 수가 있기 때문입니다.

안개의 이름으로

불러도 불러도 대답이 없는 너의 이름으로 나의 모습은 사라지고 / 가까이 가까이 가면 너는 또 멀리 있고 /

내 고향 내 집이 잠시 숨쉬는 동안에도 머물러 깊은 고요의 4월은 가고 / 두 번을 숨쉬지 않는 미로의 넋두리가 안개의 이름으로 숨을 쉬고 있네 /

*내 마음의 스토리

사람의 마음은 흔들리는 가운데 진실을 잃는 수가 있습니다. 만일 욕심이 없는 깨끗한 마음으로 조용히 앉아 있을 때, 구름이 흐르면 유연히 함께 흐르고 빗방울이 떨어지면 함께 맑아집니다.
새의 소리를 들으면 기쁨이 느껴지고, 꽃이 떨어지면 스스로 고개를 끄덕이는 바가 있을 것입니다.
가는 곳마다 거짓이 아닌 세계이고 어떤 물건에도 자연의 거짓 없는 순리를 보게 됩니다.

별 하나의 그리움

세상엔 별이 하나 밖에 없습니다
고동치는 아침의 숨결로 사랑을 느낄 때
스쳐가는 찬바람의 그늘은 별 하나의 이야기였습니다

어느 날 상상하기도 힘든 기억이 의식의 숨결로 꿈을 꿀 때
별 하나 가슴으로 찾아왔습니다

*내 마음의 스토리

꿈은 별과 같은 것입니다. 당신이 당신의 손으로는 별을 따지는 못할 것입니다.
그러나 먼 바다에서 항해를 하는 선장처럼 당신은 별을 당신의 안내자로 선택할 수 있습니다.
별을 따라가면 당신은 곧 원하는 곳에 다다를 수 있으니까요.

주정뱅이의 환란

날아라 주정뱅이야 날아라
죽어도 남기고 싶지 않은 가슴의 상처는
체루탄보다 못한 주정뱅이의 놀음이다

어느 매정한 아버지가 살기 힘들다 하여
자식을 한강물에 던졌다는 저녁 9시 뉴스

온갖 주둥이로 나발 부니
그 놈이 이 놈이고 이 놈이 저 놈이고
불타는 가슴 비통하고 애통하구나

어떤 관비는 건강 보험 흑자라하여 주둥이를 놀리고
어떤 관노는 연금 보험 싸다 싸다 입만 갖고 놀다 보면

가슴은 피멍이 되고 머리는 빙점으로 맴도나니
국민 마루타가 따로 없다

지금 어이 군화발이 무섭다하랴
현실의 두려움은 말에 의한 정신 분열인데
이 나라가 정녕 주정뱅이 나라의 환란인가

*내 마음의 스토리

동물들이 한자리에 모여 뱀의 흉을 보기 시작했습니다.

"사자는 일단 먹이를 쓰러뜨린 다음 뜯어먹고, 늑대는 먹이를 갈기갈기 찢은 다음 먹는데 뱀인 너는 뭐가 급하다고 먹이를 그렇게 통째로 삼키니?" 하고 다른 동물들이 흉을 보자.

뱀은 이렇게 말대꾸를 했습니다.

"나는 그것을 너희들처럼 입으로 잔인하게 물어뜯는 것보다 낫다고 생각해. 입으로 상대방에게 상처를 주지 않으니까."

가마터에 가고 싶다

TV는 도기를 굽거나
연기를 피우지 못합니다

가마는 연기를 피우며
도공의 숨소리로 도기를 굽습니다

정전된 까만 어둠을 물끄러미 바라보는 순간
가마가 그리워집니다

산중에는 가마가 있습니다

솔바람이 불고 장작더미가 있는
간혹은 소쩍새가 우는 곳

그 파아란 불꽃과 하얀 연기가 있는
가마터에 가고 싶습니다

*내 마음의 스토리

삶에서 당신이 매우 귀중한 것을 발견하려 한다면
아주 깊은 곳으로 아주 깊숙이 내려가는 길밖에 없습니다.

내려가다가 바닥에 쓰러지면
그곳에 바라는 보배로운 것이 있습니다.

우리가 들어가기를 두려워하는
바로 그 동굴에서 원하는 것을 찾는 것과 같습니다.

창밖을 바라보며

홀씨가 수만 번 바람과 이야기하면
바람이 눈이 되어 갈 길을 정합니다

아침이면 눈 없는 바람이 촉감으로
생명의 눈이 되어 줄 때
분명 말없이 말하는 생명체가
시끄러운 세상을 조용하게 합니다

보이지 않는 생명체가
움직이지 못하는 홀씨를
넝쿨손 같은 바람 그 바람이 지탱해 줄 쯤

보이지 않는 것이나 보이는 것이나
생명력을 가지고 움직여 줍니다

*내 마음의 스토리

봄이 오면 나는 나무 가지를 손으로 가볍게 쓸어 봅니다.

나뭇가지 속으로 흐르는 물을 나는 손끝으로 느낄 수 있습니다.

당신은 이 놀라운 느낌을 무심코 지나쳐 버리고 맙니다.

당신은 하루에 단 몇 분 간만이라도

장님이 되어 보거나 귀머거리가 되어 본다면,

저기 나뭇가지에 핀 꽃과 나뭇가지를 날아다니는 새의 노래를

보고 들을 수 있는 아주 작은 기쁨이야말로

큰 은혜임을 깨닫게 될 것입니다.

영원한 삶은 내 안에 있습니다

항상 사람은 오래 살기를 갈망합니다
그래서 욕심이 생기나 봅니다
그래도 때가 되면 적당한 몸짓으로 가야만 합니다
오래 살려고 한다면 모든 것을 버려야 합니다

스님도 큰 집 짓고
목사님도 큰 집 짓고
신부님도 큰 집 짓고

큰 집만 지으면 늙어서 부끄럽게 됩니다
뭘 그리 큰 집이 필요한지요
그것은 고행의 끝을 모르기 때문입니다

한 벌의 옷과 한 벌의 밥그릇과
몸 둘 조그마한 집으로 만족해야 합니다

죽음을 사치로 생각한다면
짐승보다 못한 구도자가 됩니다

영원한 삶이란
내 안의 욕심이 사라지는 것과 같은 것입니다

*내 마음의 스토리

생명을 이어 살아가는 동안의 마음은 너그럽게 풀고 열어 놓아서
사람으로 하여금 불평의 한숨이 없게 할 것이고,
죽은 후의 공덕은 오래도록 남게 하여
사람들로 하여금 부족한 느낌이 없게 해야 합니다.

숨쉬고 있는 사람

어렵다고 말하지 마라
아무리 소리쳐도 소용이 없는데 무슨 욕심이냐

아무것도 없는 것이 또렷한 너의 모습이니
너무 걱정하지 마라

숨을 멈춰 생각하라

내일은 또 다른 고통이 숨쉬는데
이것이 행복일 것이다

가슴 아픈 사람에게 아픈 얘기를 하지 마라
아픈 가슴이 될테니까

편하게 생각하라

오늘이 없음은 내일을 어렵게 하는 것이다

숨을 몰아 쉬어라
사는 것은 혼자가 아니기 때문이다

지나간 시간이 무엇이 그리우냐
오늘의 이야기가 내일은 다른 의미로 다가오는 것인데

무엇이 남아 있는가

무엇을 고민하는가

숨을 쉬고 있는 동안

*내 마음의 스토리

살아가는 것이 부담스러운 짐이라 여기고 있다면 피하지 마십시오.
살아 있는 한 내가 해야 할 일의 짐인 것을 깨달아야 합니다.
그 부담스러운 짐이야말로 우리가 이 세상에 살아 있으므로 해야 할 일입니다.
그러므로 부담스러운 짐에서 해방 될 수 있는 하나의 방법은 맡겨진 일에 최선을 다하는 것입니다.

명상

영원한 삶은 없는 것이며
살아 있는 자가 전하는 것입니다

모든 것에서 깨어나
모든 것으로 들어가면 사는 것입니다

얻으려고 하면 얻는 것이 아니라
이것이 욕심이 되어 죄를 짓게 되는 것입니다

주는 것은 존재의 의미이며
이것이 자연의 이치입니다

자연은 돌아와서 돌아가는 것입니다

티끌과 함께 돌아 생명을 전하는 것은

윤회 생사의 이치입니다

잠시 눈을 감으면 내 안에 그들이 있고
그들 속에 나의 존재가 있음을 알게 됩니다

*내 마음의 스토리

바람 앞의 등잔에는 불꽃이 없고 낡은 가죽옷은 따스하지 않으니 이것은 모두 절망의 쓸쓸한 광경입니다.

몸이 마른 나무와 같고
마음이 식은 재와도 같다면
비록 존재를 깨달았다 하더라도
몸과 마음이 모두 부실하게 되고

사람이 너무 욕심이 없고 마음이 조촐하면 삭막하기 짝없습니다.
존재를 깨달았다고 해도, 육체나 정신이 부실하면 무엇으로 세상의 사람을 구하는 바른 삶을 실천하겠습니까.

실체의 의미

산만 바라보면 하늘이 낮아진다
산에는 구름이 있다

구름만 보면 구름이 없어진다
보이지 않는 곳이나 보이는 곳이나 우리는 있다

오르려고 하는 것은 나를 보는 것이다
나를 보는 것은 나의 실체를 보려 하는 것이다

산도 마음에 있다
구름도 마음에 있다

실체는 여러 가지 모양으로 숨을 쉰다
오르고 싶은 곳에서 마음의 모양으로 태어난다

*내 마음의 스토리

삶의 목표를 달성하는 방법은 환경에 의해 좌우되지 않고

환경에 대한 자신의 마음가짐에 따라 결정됩니다.

여러 가지 관심보다는 그 관심을 확인하려는 태도에 의해서

결정이 되는 것입니다.

환경이나 일이 당신의 일생을 여러 가지 색으로 칠할 수 있지만

그 색의 선택은 오직 당신에게 있습니다.

수원행 전동 열차를 타고

그들을 걱정하지 마세요
그들에겐 갈 곳이 있으니까요

어렵게 생각하지 마세요
그것은 눈으로 보는 삶의 일부입니다

살아가는 이유를 무엇이라 생각하십니까

아픔이 진정 다가오면 약을 먹어야 하고
아픔을 이겨야 하는 슬픔이 있을 텐데
좀 더 생각해 보면 그것이 진실이었을 텐데

살아가야 하는 사람은 생각이 많습니다

기억의 어둠으로 또 다른 가식은 시작됩니다

그것은 가식의 생명이 남아 가식으로
남을 사랑하기 때문입니다

숨을 쉬고 있는 동안만 그리워하세요
그리고 이야기하세요

내가 네가 되는 것처럼…

*내 마음의 스토리

편안함은 오히려 양보하는 자의 것입니다.
다른 사람을 배려해 주는 것은
자신의 인생에 도움이 되는 생각을 갖게 하고,
마음에서 우러나오는 행동으로
남의 짐을 들어 주고 이해하는 것은
당신의 일부를 남에게 주는 것입니다.
이때 다른 사람에게 베풀었다면
그 보답을 기대하지 말아야 합니다.
그 보답을 기대한다면
베푼 마음과 함께 모든 일이 가식이 됩니다.

당신이 그곳에 있을까 봐

그곳에 계실 줄 알았습니다
어두운 밤 그곳에 계실 줄 알았습니다

누구도 기다리지 않는
까만 밤을 당신이 지키고 계실 줄 알았습니다

나는 문득 발길을 멈추고 나의 갈 길을 잃었습니다

그리고 혼돈된 삶의 길로 갈 수만 있다면
하는 소망이 생겼습니다
때로는 빛이 없는 어둠으로
나를 감춰 버리고도 싶어습니다

마음은 항상 당신 곁에 있지만
당신이 계신 곳으로 돌아가지 못하는 것은
나의 숨소리로 나만을 이해하려는 이질적인

삶이 있었기 때문입니다

이 밤도 당신이 기다리고 있을까 봐
또 다른 길로 방황하고 있습니다

현실을 잊기 위해
지금도 나의 몸은 허물어져 가고 있습니다

*내 마음의 스토리

사랑에 빠지면 아무리 몸부림쳐도

아주 쉽게 마음의 울타리에서 빠져나가지 못합니다.

사랑은 눈으로 보지 않고

마음으로 느끼는 것이기 때문입니다.

먼지는 사라지지 않는 생명체입니다

사람은 먼지와 같아서
지나가는 바람에도 쓸리어 가고
무리를 따라 먼지를 만들기도 합니다

발 밑에 벌레가 깔려 죽었습니다
사람들의 발에 밟혀 죽었습니다

어느 노인의 죽음과 같이
연습 없는 영혼의 삶처럼
세월따라 돌아온 자리에
먼지만 남아 있습니다

먼지는 바람에 날려갑니다
모습을 잃고 바람에 날려갑니다

먼지 위에 벌레가 기어갑니다
사람도 먼지인 것처럼 벌레의 발에 밟혀갑니다

사람은 벌레와 같이
더불어 살아가는 먼지입니다

*내 마음의 스토리

자그마한 물방울, 자그마한 모래알,

이것들이 저 밝은 태양과 화려한 대지를 만들어 줍니다.

하찮은 짧은 순간이 영원하고 위대한 세상을 만듭니다.

우리의 탐욕이 영혼을 바른길에서 떠나

삐뚤어진 길로 방황하게 할 때,

작고 보잘것없는 것들이

이 땅을 낙원으로 만들어 살아가게 합니다.

지금도 그 산에 가고 싶다

회색빛 하늘 사이로 보이는 회색 도시
마음 둘 곳 없는 곳으로 신호등만이 숨을 쉰다

오늘도 산은 분명
사람이 오가고 미물도 열심히 해맞이를 하겠지

싫거나 좋거나 기도하는 마음으로
산을 오르면 모두가 맑다

염불이 풍경 소리되어 바람에 날리면
절 뒤로 멍멍개 눈까풀이 무겁다

지금도 현실의 벽에 서면
말하지 않는 산이 말없는 산이 나를 부른다

꽃길로 가면

꽃길로 가면 꽃길로 가면 그 외길로 서있었다.

그 길에서 사랑하는 사람을 만난다면
아득한 날의 이야기를 해야겠다.

어두었던 길을 꽃길로 걸으면 행복한 시간이 따라온다
그 꽃길에 그 꽃길에 만나는 사람은 행복하겠다

아름다운 생각들이 꽃길이 되겠다

*내 마음의 스토리

숲 사이로 솔바람 소리와 바위 틈 사이로 흐르는 물 소리를 들으면 자연에 대하여 진정한 멋을 알게 되고, 풀숲의 안개빛과 산등성이 구름을 한가로이 보고 있노라면 산은 말없이 우리에게 감동을 줍니다.

바다는 아름답습니다

일출이 시작되면 여명의 백사장은 정말 상쾌합니다
통통배에 몸을 싣고 해를 품으면 속삭이듯 다가오는 열기가
그 오두막집 차 한잔을 그립게 합니다
오늘도 바다는 새롭게 시작하는
미지의 그리움으로 숨을 쉬고
그리움이 아름다운 눈물로 녹아 생명의 바다가 됩니다
그리움으로 그리움으로
하늘의 흰구름 파도되어
세상으로 잠들 때 바다는 아름답습니다

*내 마음의 스토리

어디든 갈 곳이 없다면 마음의 길을 따라 걸어가 보세요. 그 길은 빛이 쏟아지는 통로처럼 걸음마다 변화하는 세상, 그곳으로 떠날 때에 그대는 달라집니다.

그리워서

그리워서 그리워서
혼자 그 길을 걸었습니다

내 님의 발소리가 들리는 것 같아 뒤를 돌아보아도
그 발소리는 내 곁으로 다가오는 발소리가 아니라
스쳐가는 누군가의 발소리였습니다

걸어도 걸어도 낙엽은 바람에 뒹굴고
기다림이 공허한 그 길로 그 길로
마음에 담겨 있는 사랑은 혼자인 양
그렇게 낙엽을 따라갑니다

어제도 오늘도 나는 보고 싶은데
내 님은 그렇듯 바람처럼 낙엽처럼 혼자입니다

논둑길 명상

논둑길을 걸으면서
내 잘못을 빌겠습니다

언제나 그랬듯이 생각이 모자라서
했던 말을 또 하고 잘못을 또 하고

지금은 믿어 주길 원합니다
살아가므로 지키지 못한 약속을 후회합니다

올챙이들이 따스한 햇살과 함께 물장구를 칩니다

나는 중얼거립니다
행복한 올챙이로구나

졸졸 흐르는 도랑 물

상쾌한 맑은 바람

밝고 맑은 파란 하늘

싱그런 꽃다지 향기

나는 문득 거짓말에 취했습니다

*내 마음의 스토리

마음속에 거짓이 없으면 번뇌는 마치 눈이 화롯불에 녹고
얼음이 햇볕에 녹듯이 사라져 버립니다.
거짓에서 벗어나 마음속으로 품은 것이 있다면
때론 달이 푸른 하늘에 있고
마음이 물결에 비치는 것과 같은 경지를 느끼게 됩니다.

절망을 느낄 땐 꿈을 꾸세요

너무 힘들게 살아가지 마세요

절망을 느낄 땐 당신은 더욱 힘들겠지요

무엇이 어렵게 하나요
힘들게 사는 사람을 생각하세요

말을 못하는 사람
두 팔이 없는 사람
걷지 못하는 사람

부족한 가운데 하나만 있어도
고마운 마음으로 내일을 생각하세요

용기를 가지고 살아가세요

절망이 커지는 것은 마음속으로
절망을 품고 있기 때문이지요

꿈을 꾸세요
간절히 원하는 꿈을 꾸세요

사는 것이 기쁨이 될테니까요

*내 마음의 스토리

하던 일이 뜻대로 되지 않을 때에는
나보다 못한 사람을 생각하고,
마음이 조금 게을러질 때에는
나보다 나은 사람이 많다는 것을 생각하면,
억울하게 여겨 남을 탓하는 마음이 사라지고
마음이 새로워져서 힘과 용기를 얻게 됩니다.

창공은 비어 있습니다

풀씨는
보이지 않는 곳에 있습니다

나무들은 싹을 티우고
바람과 함께 봄을 준비합니다

기다림 없는 시간은 굴뚝을 향해 연기를 뿜어냅니다
지붕 위 비둘기는 절룩이는 발목을 잡고 서성입니다

허물어진 건물 사이로 바람이 불면
푸드득 프드득 날개짓을 합니다

봄바람을 따라 날개짓을 합니다
날개가 부러지지 않았다면 나르겠지요
오늘도 창공은 비어 있으니까요

추억을 그리면 당신이 내 곁에 있습니다

해 드리겠습니다
당신이 원하면 무엇이든 할 수 있습니다
봄 향기 꽃을 당신에게 받치겠습니다

어제는 당신에게서 온 편지가 나를 즐겁게 했습니다

당신은 지금 무엇을 하고 있을까요

언제나 나만을 생각하는 당신이
내 곁에 있었으면 좋겠습니다

지난 설에는 연 모양의 엽서를 당신이 보내 왔습니다
그 엽서 속에는 즐거움이 숨쉬고 있었습니다

푸른 창공을 날아 오르듯 나의 몸은 가벼워졌습니다

하늘의 구름 이야기
송이 송이 눈 이야기되어 들리는 것 같았습니다

편지를 전해 준 우체부께 고마움을 표합니다

그럼 당신이 원하는 작은 소망을 편지에 담아 보내겠습니다
당신에게 추억을 보내 드리겠습니다
아름다운 거울을 보내 드리겠습니다

*내 마음의 스토리

서로의 사랑은 눈이 머는 것이 아닙니다. 사랑을 바로 볼 줄 알게 하는 것입니다. 그것은 서로의 좋은 점과 나쁜 점을 깊숙한 곳까지 잘 알 수 있게 하기 때문입니다. 따라서 사랑은 그러한 좋은 점과 나쁜 점에도 불구하고 변함없는 것입니다.

두 말할 필요도 없겠지만 나쁜 점을 완전히 사랑한다는 것은 아주 힘든 일입니다. 그러나 그러한 나쁜 점이 있음에도 불구하고 사랑하는 것이 진실한 사랑입니다.

진실한 사랑은 상대방에 대한 책임도 함께 있기 때문입니다.

밤을 지나 아침이 오고

어두운 밤을 지나 우리에겐 내일이 있습니다

늘 일그러진 우리의 모습이
새롭게 태어나려 몸부림을 칩니다

사람으로
사람으로

태어날 땐 그렇게 맑은 눈빛으로 태어났습니다

어둠으로
어둠으로

어쩔 수 없이 태어났을 때에도
우리는 늘 희망이 있었을 것입니다

어린 모습이 숨막히는 젊음의 피로 흐를 때
맑고 밝은 세상을 깨끗하게 살아가려 합니다

보다 숨가쁘게 뛰어온 오늘이
어찌 맑은 햇살만 하겠습니까

서로의 싸움으로부터 구하려 하는 사람과
싸움을 통해 부패하려는 사람이 있습니다

모든 것이 어둠으로 사라질 때까지
내일을 기다리며 오늘을 앓고 있습니다

*내 마음의 스토리

현실을 살아가는 데에 있어서 현실에 휩쓸려서도 안 되고,
그렇다고 현실을 모두 무시해서도 안 됩니다.
현실에 살지만 현실 속에서의 현명함을 잃지 않는 것이 좋습니다.

빵보다 중요한 것은 용기입니다

빵을 먹었습니다
혀끝에 찔려 빵을 피할 때에도
빵을 기다리며 퇴화된 꼬리를 흔들었습니다

꿀떡 하나로 유혹할 때에도
빵을 생각하며 군침을 흘렸습니다

눈을 감으면서도 빵을 그리워했습니다

뒷손으로 먹물만 마시고 사는 견자들이
먹물로 문신을 할 때
이토록 먹물이 독이 됨을 모르고 즐거워합니다

살아서 밥그릇 타령하는 더러운 것들이
빵까지 빼앗습니다

그리고 꿀떡을 준다며
그 짧은 혀를 널름거릴 쯤
빵과 용기는 혼돈되고 세상은 낙엽처럼 뒹굴었습니다

*내 마음의 스토리

사람이 한번 탐욕에 빠지면 꿋꿋한 기질도 없어져 어리석게 됩니다.
하는 일을 잘 처리해 나가지도 못하고
사랑하는 마음도 변하여 참담하기 이를 데 없습니다.
깨끗하고 흠이 없더라도
물들어 더럽게 됨으로써 살아 있는 동안 인품을 잃게 됩니다.
그러므로 선인들은 탐욕하지 않는 것을
매우 귀중하게 여기는 것입니다.

한세상을 초월하는 힘은
탐욕을 초월하는 것으로부터 시작됩니다.

생명이 없는 그대 안으로

내가 그대 안으로 들어갑니다
너무 긴 시간으로 여행을 하면 과거 속으로 착각을 합니다

잠자리에서도 그대는 나를 어지럽게 합니다

생명이 없는 것을 죽이는 것은 혼란의 시작입니다

우리의 잘못은
움직이는 것만을 생명으로 착각하는 것입니다

긴 시간을 여행하면 없는 생명이 생명을 갖습니다
버려진 돌 하나를 보듬으면 내가 그대 안으로 들어갑니다

생명이 없는 그대 안으로 들어갑니다

인생 길

잘난 사람도 못난 사람도
한 길로 지나갑니다

지나는 길에 베푸는 것이 인생 길입니다

신을 신고 걷거나 맨발로 걷거나
같은 길을 향해 갑니다

인생이 가야만 하는 길은 항상 한곳으로 있어
가까이 보는 것보다 멀리 볼 때 행복합니다

인생 길은 혼자서 가는 길이 아니라
동반자의 길이기 때문입니다

*내 마음의 스토리

그대는 이 세상을 단 한 번밖에 지나갈 수 없습니다.

이 순간도 지나가면 다시 돌아오지 않습니다.

그러므로 그대가 할 수 있는 착한 일들과

그대가 실천할 수 있는 어떤 부분의 착한 행동도

이 순간에 실천해야 합니다.

물러서서 그것을 뒤로 미룬다거나 지나쳐서는 안 됩니다.

왜 그런가 하면 그대가 다시는 이 길을 이 순간을

지나갈 수 없기 때문입니다.

민주화의 죽음

피를 흘린 사람들이 민주화를 외면 한다면
몸뚱이를 굴려 행복을 탐익하는 짐승과 같습니다

아픈 상처로 보이지 않는 시커먼 멍이 가슴으로 박혀
국민을 구하는 것이 민주화입니다

민주화의 뒷거래로 살아온 날이 현실의 비굴함이라면
입으로 민주화를 하는 거짓 농담도
국민을 기만하는 혀끝의 지루함 입니다

오늘 거짓으로 국민을 팔아 배부른 자는
허수아비의 가슴이 썩어 고름을 토해 내는 것과 같습니다

*내 마음의 스토리

자신이 분에 넘치는 상황에 처하면

엉뚱한 생각에 마음이 흐트러져 때때로 자신을 망칠 수가 있습니다.

상대를 무시함도 이와 같은 것이니

이것은 자신을 어리석게 하는 행위입니다.

요컨대 원하는 것을 얻었으면

겸손하고 검소한 생활 자세로 소신이 있는 행동을 해야 하는 것입니다.

눈은 사라지는 생명체와 같습니다

눈이 많이 왔습니다

너무 조용하게 쌓였습니다

새들도 너무 조용했습니다

눈은 햇살로 아름답지만
나의 시계는 멈춰 버렸습니다

흰머리 할아버지의 조용함이 공동 묘지를 지날 때
이 산에도 묘지가 있고 저 산에도 묘지가 있고

이질적인 엇갈림의 여행은 또 다른 이정표를 만들고
땅에 묻혀습니다

눈처럼 생명을 전하고 묻혀습니다
소리 없이 숲을 만들었습니다

*내 마음의 스토리

사람이 살아가는 동안에 달라지는 것은 당연한 일입니다.

그러나 사람은 그 달라지는 것을
어디까지나 자연의 흔적으로 삼고 있어야지,

외부적인 조건의 흔적으로 돌리면
스스로를 얽매이게 하는 고통이 되는 것입니다.

고향은 꿈입니다

고향은 우리에게 말없이 고향을 가르쳐 주었습니다
고향은 그대로 입니다 변하지 않습니다
우리는 복제된 얼굴로 고향을 찾습니다
때로는 회상하고 느끼지만 흘러가는 물보다 못합니다
고향은 파괴하는 것이 아니라 그대로 보존하는 것입니다
변화를 그리워하기 전에 고향을 간직해야 합니다
기다림으로 기다림으로 반기는 것은
순수하고 해맑은 고향뿐입니다
고향을 사랑한다면 고향에 사랑을 주어야 합니다
따스하게 따스하게 사랑해야 합니다
잊혀진 사람에게 사랑을 주는 고향은 순수한 자연입니다
고향은 순수한 사랑으로 꿈을 꾸어야 합니다

*내 마음의 스토리

늘상 고향의 순수함을 찾지 못하는 사람은
그 마음에 상처가 있거나 사랑을 갖지 못하는 흠이 있습니다.

별빛이 흐르는 반월저수지에서

밤길을 따라 걸었습니다
별들이 아름다운 빛으로 가슴에 들어왔습니다

누구도 변명하지 않는 옛날 나의 별과
분명 같은 곳에 있을 듯했습니다

어릴 적 뛰놀 때의 들길은 아니지만
그렇게 싱그러워 보였습니다

이슬은 총총히 풀잎 위로 기어오르며
상큼한 아침을 기다렸습니다

아침은 아직도 멀었는데
걸어 걸어 별빛을 잠재웠습니다

아쉬운 밤이 또 지나가는 것 같지만
친구들의 말소리가 사라질 때까지

가끔은 아침이 오지 않길 소망하며
이름 모를 낚시꾼과 또 다른 사람들이 오는
밤을 기다리겠습니다

아침이 밝아오지 않는다면
나만의 추억으로 또 다른 날의 밤을 간직한 채
별빛으로 남고 싶습니다

*내 마음의 스토리

나는 전체의 풍경을 보지는 못하지만
그중 부분적인 풍경이 내 눈앞에 펼쳐집니다.
이 풍경은 자연의 일부입니다.
어떤 거룩한 것도 자연을 따라야만
그 신성한 창조주에게 봉사할 수 있고
그 창조주의 깊은 뜻을 알 수 있는 것입니다.

이 조국의 이름은

이 조국을 누가 지켜왔단 말이냐
차마 보기 역겨운 싸움을 하지 않았던가 말이다

조국아

누구의 조국인지 말해다오
생각이 다르다고 서로서로 싸웠지 않았던가
서로가 옳다고 잔꾀를 부리면 세상의 진실은 사라지고
너의 영광만 있지 않았던가

들어보라
이 얼마나 어리석은 세월이었던가

일제를 지나
육이오를 지나

배불리 먹고 활개치며 역사의 아픔을 팔아먹었다

조국아

진정 사랑하는 이의 이름으로 태어나
바르게 바르게 살아가려는 조국을 만들어다오

새롭게 태어나 죽지 않으려면
심장의 고동치는 소리를 들려다오
지금 흔들리는 조국 앞에서
우리들은 누구를 위해 살아왔단 말인가

조국아

가슴 가슴 아우러 다오
희망으로 살아 고난을 극복해 다오

머지 않아 고난이 힘없는 조국을 괴롭힐 때
우리는 누구에게 손을 벌려 내 손이 되어 주길 바라겠는가

진정 애국자여 빈손으로 일어서라
조국의 선구자여 이 땅에 새로운 이름을 지어다오

그리하여 너의 이름을 뜨겁게 하고
우리의 이름으로 이 조국을 살게 하라

*내 마음의 스토리

정치인들이 정치를 함에 있어서 지켜야 할 법이 세 가지가 있습니다.

그것은 바로
청렴함,
신중함,
부지런함입니다.

정치인이 만일 청렴 결백하지 못하다면 부정을 저지르고
뇌물 받기를 좋아하게 됩니다.

그렇게 되면 나라의 규율과 질서가 무너지고 국민들은 등을
돌리게 됩니다.

하얀 것은 그리움입니다

세월이 흐르면 하이해 집니다
변하는 것을 이해하지 못하면 하얀색이 됩니다

이별은 하얀색입니다
그리운 것도 하얀 것과 같습니다
하얀 것은 공간입니다

덮으면 없어지는 것이 아니라 음과 양이 생기는 것입니다
스스로를 위해 남아 있는 것은 보이지 않는 것입니다

하얗게
하얗게 그리움을 남기는 것입니다

어둠의 의미

어둠은 아름다움의 시작입니다
불빛이 아름다운 것은 어둠이 있기 때문입니다

어둠에는 아픔이 있기도 하지만 기쁨이 있기도 합니다
잊을 수 있는 것도 어둠이 있기 때문입니다

별빛 사이로 희미하게 보이는 산등성이는 어둠입니다
엉크러진 나무가지 사이로 걸치어 간 달빛은
어둠으로 아름답습니다

어둠이 없으면 어둠의 불빛은 없습니다
어둠은 생명입니다
어둠은 아름다움의 시작입니다

낙엽이 썩으면 거름이 되는 것을

썩은 자들아 뿌리를 썩지 않게 하라

낙엽은 거름되어 새싹을 티우는데
하물며 사람이 양심을 두고 썩겠느냐

썩은 자들이여 깨어나라
신음 소리와 함께 피를 흘리는 국민은 슬픈 일이다

썩은 자들아 배움이란 바르게 살라는 것인데
못 배운만 못하다

국민의 거름으로 일어서라
국민의 이름으로 태어나라

더럽게 용서하는 가슴으로 부패하니

떨어지는 낙엽보다 어찌 낫다 하랴
썩은 자들아 이 조국을 삼키려 하느냐

내일 국민이 목숨을 걸고 일어선다면
폭동이라 얘기하겠느냐
민주화 운동이라 얘기하겠느냐

국민을 욕되게 하지 마라
진실로 욕을 하라
진실로 지킬 이야기를 하라

국민이 너를 욕하면 용공인가

국민이 얼마나 무서운 줄 아느냐

그대 이야기 어디 두고 달콤한 꿈을 꾸느냐

국민은 죽어 갈 뿐인데
죽지 않았다고 죽음이 없는 것인가

죽음 앞에서 죽음 앞에서 국민은 봉기하리라

썩은 자들아

낙엽도 떨어지면 거름이 되는데

그대 죽어 냄새 나는 것을
거름도 아닌 거름되어 오염되는 것을 아느냐

*내 마음의 스토리

정치나 행정은 국민들을 잘 살게 하기 위하여 존재하는 것입니다.
그러므로 국민을 다스림에 있어서는,
모든 국민들로 하여금 마음 놓고 서로가 어려운 현실의 사정을
나라에 말할 수 있어야 합니다.
그러면 나라는 가능한 한 국민들에게
편안한 삶을 살 수 있도록
그 어려움을 덜어 주는 행정을 펴 나가야 합니다.

아름다운 여행

밤이 지나고 아침이 오면
우리는 희망을 꿈꾸어 갑니다

세상의 그리움을 꿈꾸면
우리의 아침은 밤보다 아름답습니다

우리가 즐겁게 노래할 때
세상의 모든 것들은 아름답고

우리가 떠날 즐거운 여행은
세상의 모든 것들을 싱그럽게 합니다

설레이는 마음과 마음이 우리의 여행을 꿈꿀 때
되돌아 보는 것보다 떠나는 그리움이
우리에겐 아름다움입니다

눈을 비비고 여명의 기차를 타면
덜커덩 덜커덩 졸음을 깨우고
아침의 이야기를 합니다

아침을 향해 밤을 지나면
희망의 날개를 달고 우리는 꿈을 꿉니다

*내 마음의 스토리

우리의 삶에서 가장 큰 행복의 요소 중 하나는
자연의 선물들을 즐길 줄 아는 것입니다.

자신이 비록 가난한 사람이라 할지라도
이것을 즐길 수 있습니다.

왜냐하면 이런 축복들은 공짜이기 때문입니다.

그리움을 위하여

가슴엔 슬픔이 있기도 하지만 기쁨이 있기도 하지

이렇게 오늘도 숨을 몰아 쉬는 것은
혼돈된 삶이 이질적으로 다가오기 때문이야

때로는 정신을 잃겠지만 정신을 차려야지

내가 정신을 차리지 못할 때

너는 이 밤을 서성이며 내일을 맞이하게 될 거야

모두는 나를 떠나겠지만 네가 있는 곳으로 돌아갈게
우리는 만날 수가 있을까
내가 있는 곳으로 네가 서 있을까

나는 내일이 없을 거야

이 밤이 나를 기억하기 전에 내가 나를 기억해야 하니까
그래서 한 걸음 한 걸음 혼돈된 기억으로 너를 찾는 거야
마음속 깊이 기다림의 혼돈은 영혼이 없다는 거야
만날 수 있도록 기도해 줘

너무 슬픈 생각이 들어
답답하겠지만 나를 생각해 줘

지금 집 근처로 갈게 정신을 잃지 않도록 기도해 줘
네게 가고 있으니 너무 걱정하지 마

*내 마음의 스토리

가정을 위해 늘 화목하세요. 화목하면 자연히 즐거워 집니다.
어떤 어려움이 닥쳐와도 부부 간에 비밀을 없애고
솔직하게 하는 것이 행복한 가정을 만드는 것입니다.
한편 평화로운 결혼 생활을 위해서는
상대의 단점을 부드럽고 친절히 이해하여 허물이 없도록 해야 합니다.
또한 지난 일에 대한 고백은 현재의 결혼 생활에
전혀 도움이 안 되므로 지난 일들을 일부러 말할 필요는 없습니다.

이방인의 하루

졸음 사이로 치열한 바람이 머리를 뚫고 지나가면
비어 있는 머리는 혼자의 더듬이가 됩니다
소란스런 일상이 고향을 잃을 때
구름은 핏빛을 닮아 이글거리고
마음속의 영혼은 지붕 위를 떠나 빗물로 고입니다
이 순간 한 방울의 눈물이 땅속으로 스미면
사랑합니다
사랑합니다
검은 연기 속으로 영혼은 외마디 메아리가 됩니다

대구 지하철 참사 현장에서

*내 마음의 스토리

화를 멀리하고 복을 구하려 하는 것은 누구나 가지고 있는 생각입니다.
그러나 이미 악을 행하여 재앙의 씨앗을 뿌려 놓았기 때문에
이를 면할 수 없을 것이며 복을 쉽게 구할 수도 없습니다.

소망은 아름다운 기도입니다

모두에게 사랑을 전해 주시옵소서

생명이 없는 돌 하나에도
숨소리 들리지 않는 풀잎 하나에도
사랑을 불어넣어 주시옵소서

어느 순간에나 아름다움 간직하고
기쁜 맘 샘솟게 하여 주시옵소서

늘 그리운 모습으로 다가오게 하여
사랑하는 모습으로 남게 해 주시옵소서

늘 바라는 것이 아니라
베풀어 아름다움 전하는 우리가 되게 하여 주시옵소서

초가의 도깨비

낡은 초가에는 누가 살고 있을까

쓰러져 가는 초가에는 고향이 숨어 살고 있겠지

그 도깨비를 아비라 했던가
할미라 했던가

무너져 내린 담장 사이로

나팔꽃
메꽃
망초대

별빛이 반짝이는 밤
달빛 그림자

찢어진 문풍지 바람에 중얼거리면

동트는 아침으로
그리움 이슬되어
뜨락 가득 풀잎에 맺혀 있네

*내 마음의 스토리

마음은 후손의 뿌리가 됩니다.
그 뿌리가 잘 심어지지 않고서는
가지와 잎이 무성할 수 없습니다.

이처럼 사람도 착한 마음을 후손에게 심어 주면
그 자손이 번영을 누리고 그렇지 못하면 쇠락합니다.

눈이 달린 나무

바람 속에 숨죽인 듯
눈비 속에 숨죽인 듯

산새는 능선을 따라
물새는 물가를 따라 평화롭게 날아갑니다

벼랑 끝자락 잔가지 겨울눈

죽은 듯
죽어 있는 듯

겨울을 찾아 여행하는 새들을 바라봅니다

시간은 생명체입니다

긴 시간을 지나 과거로 달려가면
천년이 섬광과도 같습니다

서둘러 다가오는 시간을
어리석은 선지자는 잡으려 합니다

시간은 잡히 것이 아니라
흘러가는 강물과 같아서 흐르고 또 흘러갑니다

원하는 만큼 빠르거나
느리게 지나가지도 않습니다

우리 몸의 형체를 가지고 변해 갑니다

존재하고 있는 동안이나 떠난 후에도

*내 마음의 스토리

사람은 강물과도 같은 존재입니다.

어떤 강이든 물이라는 것은 똑같으며
어디까지 거슬러 흐르더라도 역시 물이라는 것은 다를 봐 없습니다.

하지만 그 강도 폭이 작아질 때가 있는가 하면
빠르게 흐를 때도 있고,

넓은 곳이 있는가 하면
조용하게 흐를 때도 있으며,
때로는 깨끗하고, 때로는 차갑고,

어느 날은 흐리고, 또 어느 날은 따뜻해지기도 합니다.
사람도 이와 다를 바 없는 것입니다.

사라지는 것은 새로운 시작입니다

돌은 강물을 따라 쓸리어 갑니다
부러진 나무가지는 땅위에 떨어져 비바람에 쓸리어 갑니다

우리의 죽음이 묻히어 흙으로 돌아갑니다

사라져도 사라져도 땅위에 남아 존재하는 것을
우리는 잊고 있습니다

한줌이 우주인 것을 우리의 마음이 우주인 것을
마음에 담아 그리운 것들을 사랑하세요

사랑을 한다는 것은 한줌의 그리움일 텐데
마음으로 사랑하세요

사라지는 것은 새로운 시작이니까요

너답게 살아야 해

차창을 바라보는 그대
너무 힘들어 보여
흔들릴 때 흔들리며 살아가야 해

아직은 시작이야
서두를 것 없어 누구나 고민하는 고민은 너무 싫어

너는 너답게 살아야 해 사랑도 네 방식대로

너무 그리워하지 마
외로운 모습으로 차창을 바라보지 마
흔들릴 때 흔들려 버려

너답게 사는 거야
너답게 살 때 사랑은 시작되는 거야

눈을 감아 보세요

눈을 감으면 먼곳이 빨리옵니다

지나지 않는 곳까지 빨리 다가옵니다

지루하지 않으려면 눈을 감아 보세요

생각이 혼돈될 때 눈을 감아 보세요

어느새 지난 일이 사라집니다
그러면 모든 걸 잊을 수 있어요

기다리지 마세요

시간은 빨리 가지 않습니다

해와 달이 지나가 듯이

내일을 기다리기 보다는 오늘을 생각하세요

오늘만 기억하세요

그리고 눈을 감아 보세요

그러면 무척 시간은 빠르게 우주를 여행할 거에요

서두르지 마세요

주어진 시간으로 오늘을 기억하세요

잠시 눈을 감으세요

그리고 오늘을 생각하세요

편안한 마음으로 사랑스런 일들을 생각하세요

*내 마음의 스토리

시간은 모든 것의 불가사의한 원료입니다.
시간이 있으면 모든 것이 가능해지고 시간이 없으면
모든 것이 불가능해집니다.

사람은 누구나 24시간 주어집니다.
시간의 세상에서는 천재라고 해서
단 몇 분이라도 더 받을 수가 없고,
바보라고 해서 덜 받는 것도 아닙니다.

또한, 미래의 시간을 앞당겨 쓸 수도 없습니다.
오직 지나가는 시간만을 쓸 수 있는 것입니다.

사람은 누구나 하루 24시간이라는 범위 안에서
희로애락과 원하는 일을 모두 이뤄야 합니다.

욕심쟁이

욕심이 없는 한 사람은 살 수 없습니다
욕심은 화를 부르기도 하지만 복을 주기도 합니다

내가 남에게 주려고 하는 욕심이 많으면
욕심이 없는 것입니다

내가 남에게서 얻으려 한다면
욕심이 많은 것입니다

하느님은 욕심이 많습니다
모든 사람들이 사랑하기를 바라기 때문입니다

욕심은 내 스스로 갖는 것이 아니라
주는 것입니다

사람들은 욕심을 버리지 못합니다

욕심이 없다면 희망도 없기 때문입니다

어두운 밤의 고요가 찾아오면
잠을 자야 하는 것도 욕심입니다

아침이 다가오면 잠을 깹니다
이것 또한 욕심입니다

욕심은 한없는 삶의 자체에서 시작되는
생명의 근원입니다

생명이 숨쉬는 한
생명이 세상에 남아 있는 동안
주는 삶을 사는 것이 세상을 밝게 하는 욕심입니다

최소의 욕심이란
하루 하루를 숨쉬는 것입니다

숨쉬는 동안 아름다움을 전하는 것이 욕심이라면
모두 욕심쟁이가 되었으면 합니다

*내 마음의 스토리

남에게 은혜를 베풀되 내가 남을 돕는다든가
남이 내 도움을 받는 것이라고 생각지 않는다면,
비록 작은 도움일지라도 상대방은 큰 고마움으로 여길 것입니다.

남을 이롭게 하는 사람이
자기가 베푼 것을 따져서 남이 갚기를 바란다면
비록 큰 은혜일지라도 불쾌감을 불러일으키게 되어
결국 보람도 없게 됩니다.

이별의 그림자

이별은 시작된거야
너무 멀리 떠나가고 말았어
우리의 모습은 그대로인데
너무 멀리 떠나고 말았어
아픔이야 잊으려 하지만
너와 내가 스쳐 지나갈 때 마음이 너무 아팠어
돌아보면 안타깝겠지만 너무 쉽게 생각을 하고
기다림도 없이 기다림도 없이 생각할 틈도 없이
우리의 이별은 꿈을 꾸고 있었어

언제부턴가 너의 행동이 나를 멀리하는 것 같았어
그러나 나는 따지고 싶지 않았어
잠시 그런 것이라고 생각했었어

이젠 틀렸어

좀 더 진실한 느낌이 내게 있었다면…

지금 난 후회를 하지

소용이 없어
소용이 없어

등 돌린 너를 향해 잘 가라고 말할 뿐이야

이별은 등을 돌린 순간부터 시작되는 거야
영원히 기억하지 않길 바랄 뿐이야

기억한다면 또 다른 이별이 시작되니까 등을 돌려 버려

네 기억에서 지워버려

*내 마음의 스토리

젊은이여 자신을 무력하다고 생각한 나머지
절망의 늪으로 자신을 빠뜨리지 마세요.
먼저 자기 자신이 무력하다고 생각하지만 않는다면
사람은 누구나 무기력하지 않기 때문입니다.

헌 구두

맨발로 걸어 다니면 세상은 어떻게 될까요
맨발로 살아가면 세상은 어떻게 될까요

헌 구두를 가난이라고 말할까요
새 구두를 부자라고 말할까요
겉모양으로 살아가는 우리는
헌 구두를 어떻게 볼까요

이 사회가 어지러워지는 것은
버리는 것이 많아서 일까요

쓸만한 것을 버리는 것은 낭비일까요

허영을 몸으로 뱉어 낸다면
몸은 부조리를 만들어 부자가 되고 싶겠지요

버리면 버릴수록 편안히 살기야 하겠지요

공장은 밤새워 헐떡거리고
사람들은 더욱 더 오염된 환경 속으로 빠져
병든 내일을 만들겠지요

헌 구두
새 구두

맑고 쾌적한 환경을 지키는 것은
작은 행동의 일부이니까요

*내 마음의 스토리

마지막 남은 그 나무가 죽어 버린 후에야,
마지막 남은 그 강이 오염된 후에야,
마지막 남은 그 물고기가 잡힌 후야,
사람들은 깨닫게 될 것입니다.

자연 환경을 떠나서 살 수 없다는 것을…

바위 숲

바위 틈 사이로 이슬이 숨을 쉬면
풀이 되어 자라난다

풀들이 숨쉬고 있는 동안
나무가 자라난다

물빛이 풀빛되어 숨을 쉬면
바위에 새 한 마리 걸터 앉는다

*내 마음의 스토리

자연은 끊임없이 만들어지고 또한 끊임없이 소멸합니다.
자연의 생산은 누구도 따를 수 없습니다.

천안 화덕에는

파란 하늘 햇살이 논과 밭을 비추고

푸른 잎 살랑이는 나뭇가지 사이로 매미 한 마리 노래 부르면
개울가 물소리는 정적 속으로 휘파람새 됩니다

조그마한 마을 모퉁이 개구장이 뛰어가고
정자나무 그늘로 어느 노인인가 오수를 즐길 쯤

여유가 젓갈잠자리의 몸으로 내려앉아
고요는 더욱 아름답습니다

갈잎으로 부는 바람

문턱 앞으로 그렇게 바람이 불어오면
어디론가 지나쳐 버린 공허한 낙엽에 넋을 잃는다

＊내 마음의 스토리

사람들의 가장 큰 고통은, 외로움과 버림받은 느낌
그리고 어느 누구 하나 자기를 위하는 사람이 없다라는
생각이 들 때입니다.

또한 가장 나쁜 질병은
어느 누구에게도 필요치 않은 사람이라고 생각이 들 때입니다.

이라크 파병을 비추다

오늘 우리가 자주국인가를 생각하면
미래가 없는 현실을 생각하게 됩니다

사람이 사람을 공격하기 위해
온몸을 비틀어 평화로 소리치는 순간
총성이 평화의 상징이 되는 현실이 슬픈 일입니다

이 현실 앞에서
우리는 우리가 없을 때
더 큰 슬픔이 가슴으로 다가옵니다

힘 없는 나라가 힘을 키우지 못하는 것은
부패가 지속되는 진통의 역사이기 때문입니다

한반도의 자주여 광복 60년이여

아픔이 영원한 죽음이 되지 않도록
스스로 매국노가 되지 않도록

주권 없는 구걸의 말장난보다는
오늘 우리의 아픈 상처를 감싸 안으며
자주적으로 파병하는 평화의 힘이 되어야 합니다

*내 마음의 스토리

오랜 준비 기간을 거쳐서 힘을 기른 새는 반드시 높이 날고
먼저 피는 꽃은 지는 것 또한 빠릅니다.

이와 같은 이치를 깨달아서 충분한 힘을 기르면
발을 헛딛게 하는 실수를 면하고
조급히 서두르는 생각이 사라질 것입니다.

민들레 홀씨

고항을 떠난 이후로 살아 살아 터잡고
바람따라 흩어지고

이젠 살아야 한다는 이유만으로
씨에 씨를 뿌려 영원히 만나지 못하고

그 자식 애미 애비 모르고 이 땅에 살고 지네

* 내 마음의 스토리

자신이 부모에게 효도하는 것을 보면
자식도 이를 본받아 자신에게 효도합니다.
그러나 자신이 부모에게 스스로 효도하지 않는다면
어찌 자식이 자신에게 효도할 까닭이 있겠습니까?

창가에 비치는 눈물

창가로 맺혀 흐르는 물방울은
눈물인 양 멈추는 듯 흐르는 듯 무심합니다
넋없이 유리창에 그대 얼굴 그리면
흐르다 못해 흩어지는 물방울이 나의 눈물 같습니다
오늘도
방울 방울 흘러 쏟아질 것 같은 눈물 닦지 못한 채
창가로 당신 생각에 잠깁니다

*내 마음의 스토리

사랑은 절대로 잃어버리는 법이 없습니다.

만일 당신이 어떤 사람을 사랑했을 때 그가 당신의 사랑을 받지 않으면 당신의 사랑은 다시 당신에게 돌아와 당신의 마음을 따스한 군불처럼 위로해 줄 것입니다.

죽어도 그립지 않다

하루를 사는 것이 그립지 않다
눈물로 글썽이는 하루가 그립지 않다

현실의 삶이 절규할 때
쓰린 가슴은 폭풍으로 다가서는 가여움이다

시계의 부속들은 속절없이 울어대지만
항상 슬픔이 있는 것은 아니고
쓰레기장으로 달려갈 때 슬프다

공원으로 바람이 불어온다
하늘은 사막의 구름을 몰고 흥얼거린다

이글거리는 마그마가 동네의 한 쪽을 삼킬 때
새 한 마리가 죽었다

개는 검푸른 바다를 바라보며 컹컹 짖는다

시간이 지난 삼포는 추억을 아우르지는 못했다

눈이 내리는 세상은 솔잎에 앉아 쉬는 듯
햇볕에 따사롭기 그지없다

파도에 밀리어 온 팽귄이 마음속으로 잠들려 한다

추억이겠지
모든 것을 버릴 수 있었는데
모두를 끌어안고 흐느끼니 하루가 지나갔다

꺼이 꺼이 버려야 하는 시간
병실의 조명은 생명의 순간을 기억했다

*내 마음의 스토리

인생은 활동하는 가운데 존재하며 무기력한 휴식은
곧 죽음을 의미합니다.

원초적인 빛

넓은 세상 한가운데
나는 이름없이 태어났습니다
그대는 잘 알고 있을지 모르지만
어둠의 터널 속으로 내가 숨을 쉬고 있을 때
세상은 무엇 하나 거침이 없이 삼켜버렸습니다

이 끝없는 세상 빛을 찾아 방황하다
어둠에 절망하여 빛을 포기하려는 순간
환히 비추는 빛이 원초적인 빛입니다

*내 마음의 스토리

최악의 상황에서라도 사람은 빛을 잃어서는 안 됩니다.

빛이 없다고 생각한 것이 빛을 불러오는 경우는 얼마든지 있습니다.

팔당댐 그 물결

거친 물보라가 가슴에 뭉클 다가온다
그렇게 엄청난 동요를 새삼 자연이라 생각할 때
저 거센 물결로
저 거센 물결로
소용돌이 치는 강물이
그 얼마나 무서운 벼랑을 타고 내렸기에
그 번민의 시간들이
번거롭고 이질적인 벼랑과 벼랑 사이를 지났기에
아리한 자연으로 소멸되어 거친 것일까 장엄한 것일까

*내 마음의 스토리

하늘의 뜻을 따른다는 말은
대자연의 섭리를 거스르지 않음을 말합니다.
아무리 인간의 지혜가 발달했다고 할지라도
자연의 섭리를 거역하면 생존할 수 없습니다.

일상의 불효

지나간 시간이 쓰라린 가슴으로 응어리져 옵니다

지금 생각이 이렇게 진실로 다가오지 못함은
행동의 일부를 잃어버렸기 때문입니다

어머니

헤어져 살아온 세월의 아픔을 어찌 말로 다하겠습니다

이렇게 살아 있는 것이라면
조상의 죽음이나 나의 죽음이나 다른 것이 없습니다

어머니

어느 세월에 응어리진 가슴 가슴 풀어 보겠습니까

밥 한술에도 국 한 모금에도
목이 메어 가슴 한구석이 응어리집니다

어머니

까맣게 타버린 가슴 남이 볼까 지나온 시간이나
다가올 시간이나 두렵습니다

*내 마음의 스토리

아버지 나를 낳으시고 어머니 나를 기르셨으니 아아 슬프다.
부모님이여 나를 낳아 기르시느라고 애쓰고 수고하셨습니다.
그 은혜를 갚고자 한다면 저 넓은 하늘과 같이 끝이 없습니다.

산과 들을 지나 고향에 가면

논둑 길을 따라 미루나무 한 그루

물길 따라 피라미 한 마리

길가를 따라 고장난 차

산과 들을 지나 내 고향

하루를 쉬어 돌아오면 타향살이가 아픔이 됩니다

어머니 고향에서 영원히 쉬었으면 좋겠어요

어머니와 함께 고향 식구 사랑하며
영원히 쉬었으면 좋겠어요

젖먹이 어린아이를 안고 있는 어머니처럼
보기에 사랑스러운 것은 없고,

많은 아이들에게 둘러싸인 어머니처럼
사랑스런 모습은 없으며,

많은 아이들에게 둘러싸인 어머니같이
존경하고 사랑하는 마음을 느끼게 하는 것은 없습니다.

충무로

검게 타버리고 희게 타버리고
충무로의 발길을 누가 이야기 하겠느냐

지나온 발자욱이 거리 거리의 숨으로 남아
영혼이 되게 하는 바람 그 바람이 지나가고 스쳐가는데

사라져 가는 무리들을 향하여
이름을 불러도 흐르는 모습으로 남아 있구나

*내 마음의 스토리

사람의 일이란 무상한 것입니다. 언제나 잘되고 못되는 일이 있게 마련이고 특히 각별한 사랑을 받으면 이에 비추어 질투도 많게 되니 언제 곤욕을 당할지 모릅니다.

바람이 보이는 벤치

바람이 춤을 춘다
빙글빙글 춤을 춘다

벤치는 조용히 겨울을 숨쉰다
모퉁이 바람이 찾아와 돌개바람을 만든다

생명이 숨쉬는 곳에 바람이 춤을 춘다

잠드는 낙엽 위에 몸을 부비면
낙엽이 바람되어 춤을 춘다

*내 마음의 스토리

생명이 없는 것이 바람으로 머물면 언제나 생명이 되어 우리에게 여유를 줍니다.

가로수와 회색 도시

우리는 가로수를 사랑합니다
가로수는 하늘을 떠받쳐 파란 하늘을 만듭니다

그러나 습관처럼
괴목을 만듭니다

파란 하늘 푸른 가로수
환경 미화를 외치며 잘라버립니다

가로수가 우리네 삶이 됩니다

보기 흉한 괴목이 우리가 됩니다

앙상하게 잘린 가로수

오래 오래 살아

이 도시를 아름답게 해야 할 가로수가
우리를 병들게 합니다

이 도시를 병들게 합니다

아름다움을 잊고 스쳐갑니다

모두의 기억에서 사라집니다

회색 도시의 풍경이
우리의 몸으로 들어와 정지된 내일을 살게 합니다

*내 마음의 스토리

병이든 후에야 비로소 건강의 소중함을 알고,

어지러운 세상이 온 뒤에야

평화가 복임을 안다는 것은 지혜라고 할 수 없습니다.

복을 구하기에 앞서 그것이 재앙의 근본이 됨을 알며,

생을 탐하기에 앞서

그것이 죽음의 원인이 됨을 아는 것이야 말로 뛰어난 지혜입니다.

당동 그곳이 그립다

그 시절이 바람과 같이 스친다

내가 살았던 곳이
내 아이 살던 곳이 바람처럼 스친다

어릴적 내 아이와 함께 꿈꾸던 그곳이 생각난다

언덕길로 오르는 축축한 반지하 단칸방
그곳이 그립다

양동이 들고 식수차를 기다리던 그 시절
그때가 그립다

흙내가 있고 풀잎이 스치는 공터가 그립다

우리 아이 아장아장 걸었을 때가 그립다
우리 아이 커가는 모습이 아름답다

힘들 때에도 희망이 숨쉬던 곳
그곳이 아름답다

희망이 숨쉬고 있을 때가 아름답다

당동 그곳이 그립다

*내 마음의 스토리

그리움을 통해 인생은 풍요로워집니다.

한잔의 커피

커피 한잔이 그립다

늘 마시는 커피는 아니지만
커피를 마시는 것은
커피 속에 이야기가 숨어 있기 때문이다

오랜만에 만난 친구와 커피를 마시면
세상이 아름답게 보인다

항상 만나지는 못하지만 마음이 변치 않는 친구와
커피 한잔을 나누면 또 다른 꿈이 살아난다

우연히 친구를 만났을 때
한잔의 커피향은 나를 즐겁게 한다

*내 마음의 스토리

학문과 덕이 높고 행실이 바르며 품위가 있는 사람은

담담하여 물과 같고,

도량이 좁고 간사한 사람은 사귐이 달콤하여 단술과 같습니다.

학문과 덕이 높고 행실이 바르며 품위가 있는 사람은

담담하게 사귀기 때문에 친숙함이 변하지 않고,

도량이 좁고 간사한 사람은

달콤하게 사귀기 때문에 친숙함이 오래 가기 어렵습니다.

상실

소나무 한 그루 그 옆에는 연립 주택이 있다

황급히 소나무 줄기를 타고 내려온 청솔모
비틀어진 사지를 끌고 달아난다

모텔 옆으로 박새 한 마리 허공으로 깃털을 날리면
어릴 적 추억이 사라진다

옛날보다 더 늙은 소나무가 이웃 없는 오늘을 사는 곳

내 아이도 이웃집 아이도
생명이 없는 하늘을 보고 살아간다

쓰레기통보다 못한 너

나는 쓰레기통 입니다
늘 이곳에 있습니다
쓰레기란 쓰레기는 무엇이든 다 받아 줍니다
거리가 더러워질까
밤 이슬을 벗삼아 입을 벌리고 있습니다

나는 늘 이곳에 있습니다
깨끗한 거리를 위해 나는 이곳에 있습니다

입을 하늘로 벌리고 있습니다
부른 배가 터질 것 같아도 이곳에 있습니다
먹다 먹다 지쳐 괴로울 때에도
나는 이곳에 있습니다

오늘 당신은 나를 볼 수 없습니다

내가 있어 더 더러워진다나요
쓰레기를 잘 받아 먹지 못한다나요

그래요 나를 버려 주세요

이 거리가 깨끗해질 수만 있다면
나는 후회하지 않겠습니다

보잘것없는 나를 기억이나 하겠나요

있어야 할 곳에 있어야 하는 나는 없습니다
나는 당신이 쓰레기가 아니길 빌겠습니다

*내 마음의 스토리

어떤 사물이든 적당한 장소에 놓여 있을 때 아름답게 느껴집니다.
이때 적당한 장소나 시간을 떠나면 아름다움은 사라지게 됩니다.
다시 말하자면 있어야 할 것이
본디 있어야 할 자리에 있는 것보다
더 아름다운 풍경은 없기 때문입니다.

어른은 뭐지요

어른은 뭐지요
참되게 사는 거지요
아이들은 뭐지요
참되게 사는 거지요

인간답게 살아야 하는 것은 모두의 바람이지요

그런데 어른은 뭐지요. 미꾸라지인가요
그럼 흙탕물을 만드는 건가요

아이들은요
흙탕물에 사는 건가요
흙탕물에서 자란 아이들은요

깨끗하겠나요

아니지요

어른들은 이성을 잃은 거짓말쟁이죠

대통령 아저씨도 똑같구요
대통령 아저씨 밑에 있는 아저씨도 똑같구요

욕심이 많은가 보죠
하루를 살더라도 어른이 맑아야지요

분수를 알아야 세상이 맑아지고요
참되게 살 수 있는 거죠

그래야 꿈과 희망 있는 거죠

*내 마음의 스토리

세상에는 악을 위해 악을 행하는 자는 없습니다.
모두가 악에 의해 이익 · 쾌락 · 영예를 얻으려고 악을 행합니다.

소낙비 그리운 날

소낙비 햇살을 지나
무지개 저편 담장에
안개꽃으로 피어오른다

산길따라
들길따라
소낙비 벗삼아 뛰놀던 내 고향 산천에는
옛동무 다정스레 살고 있겠지

소낙비 내리는 날이면
내 동무 다정 다감한 햇살을 지나
안개꽃으로 담장에 머무네

풋사랑

사랑은 그냥 그렇게 얻어지는 것이 아니라
세월이 흘러 얻어지나 봅니다

내 나이 쉰

풋사랑의 기억이 행복한 것은
순수한 사랑이 그리움으로 남아 있기 때문이죠

그렇게 풋사랑이 아름다운 사랑이라면
그 사랑 자체로
영원한 세월의 멈춤을 꿈꾸게 할지도 모르죠

이제 긴 시간

사랑의 의미가 우리를 혼탁하게 할지라도

풋사랑의 기억을 더듬어
아름다운 사랑 그 사랑의 의미가
꽃의 향기로 전해지길 소망합니다

*내 마음의 스토리

참사랑은 목적이 없는 것이 아닙니다.

오히려 평범한 사람들이 보이지 않는
아름다움을 처음 발견할 수 있게 하는
마음의 눈을 갖게 해주는 것입니다.

그래서 나는 생각합니다.

새로운 희망을 더해 주는 것이라고…

돌아오지 않는 새

내 곁에서 노래하던 새야

날아서 날아서 어디 가니 어디를 가니

끝없이 먼 하늘을 날아가니

무슨 꿈을 꾸며 날아가니

돌아보면 보이지 않는 마음을 잡아 주렴

항상 흔들리는 마음에 희망을 주렴

지금도 날아가는 새야

날개가 있다면 날아가련만

내 마음에 찾아와 노래를 하렴

*내 마음의 스토리

원하는 꿈은 우리들 마음속에 자리잡고 있습니다.

또한 원하는 꿈을 이루려고 할 때 나타나는 모든 장애물도

역시 우리들 마음속에 있습니다.

영혼은 변하지 않는 미래입니다

어리석은 자가 어리석음을 잊으면
또 다른 어리석음을 낳습니다

시대를 역류하는 자는 역류 후의 모반을 꿈꿉니다
더 잘하리라 맹세하지만
세월이 흐르면 달콤한 유혹에 빠집니다

사일구 세대가 오늘의 부패를 만드는 것은
부패 후의 부패를 모르기 때문입니다
부패는 달콤한 유혹입니다

혹 삼팔육 세대는 더 추한 부패를 가져올지도 모릅니다
그것은 기득권을 포기하지 않기 때문입니다
부패를 버리기 위해서는 이기심을 버려야 합니다

순수함으로 언제든 불의 앞에 저항해야 합니다
죽을 때까지 저항해야 합니다
저항하지 않는 정의는 훗날 부패를 만들어 갑니다
그리고 옛날이야기를 합니다

젊었을 때 사일구 세대의 주역이었다고
젊었을 때 삼팔육 세대의 주역이었다고

영혼을 팔아먹는 사람은
정의롭지 못한 자신을 더욱 부패하게 합니다

조금만이라도 조금만이라도
정신을 차리면 영혼이 보입니다

내일의 희망은 처음의 영혼을 일깨우는 것입니다

* 내 마음의 스토리

공로와 과실은 조금이라도 뒤섞여서는 안 됩니다.
뒤섞이면 정의가 없어져 부패한 마음이 생깁니다.

돼지 농장

어린 돼지의 영혼이 울어지치면
돼지는 묘지 위에 깃발을 펄럭여 썩기를 시작한다

잘된 것이나 못된 것이나 필요하다면 옳다 그르다

원칙 없이 부르짖고 과거를 부정하여 숨을 헐떡일 때
피의 흘림은 헛되이 과거 속로 흘러간다

어린 돼지의 심장을 먹고 자란 늙은 돼지가
어제와 같은 오늘의 생각으로 서로를 예찬할 때

이것저것 책임이 없는 시대의 부유물들이
돼지 농장의 앞날을 어둡게 한다

아주 조금만이라도

아주 조금만이라도

어린 돼지의 체온을 느낀다면
돼지는 밥상에 올라야 한다

*내 마음의 스토리

상대를 꾸짖음에 있어서는, 잘못만을 꾸짖지 말고
그 잘못으로 인해 다시 잘못을 되풀이 하지 않도록
길을 가르쳐 주어야 합니다.

그러하면 상대방도 불평이 없이 스스로 굽히고
감화를 받아서 두 번 다시 그러한 잘못을 되풀이하지 않습니다.

자기를 꾸짖음에 있어서 잘못이 없을 때라도
혹시 잘못이 있지 않을까 하여 반성한다면
잘못을 앞서 방지하고 교양이 높아져 덕이 크게 쌓입니다.

조금은 새롭게 시작해야 한다

돌아오지 못할 길로 향하는 것은
끝과 시작이 공존하기 때문이다

하루하루의 길을 반복하는 것은
생존의 의미를 단조롭게 할 뿐이다

아이에게 바른길로 가라 하는 것은
지나온 과거의 잘못된 나를 보는 것이다
그 아이 어른이 되어도 똑같은 말을 한다

그것은 내가 아닌 나의 입으로 말을 하기 때문이다
거짓은 실상보다 허상이 말로 앞서 누군가를 아프게 한다

새로워진다는 것은 과거의 나를 되물림하지 않는 것이다
아이를 위해서 어른의 어리석음을 깨닫는 것이다

공간의 소멸

기차가 지나갈 때 시간을 느낀다
눈으로부터 사라지는 것에 시간을 느낀다
잠을 자려는 순간에 시간을 느낀다

공간이 사라지고 또 다른 어둠이 자명종과 함께 현실로 돌아오면
일상의 기계 음이 약속된 언어 속으로 빨려 들어간다

아마 내 집은 멀리 떠 버린 공간의 집으로 변한다
집으로 내리거나 사람의 몸으로 내리면 그 모양대로 증발한다

내 마음에 내리면 내 마음으로 흘러 생명을 자라게 한다
보이지 않는 생명으로 꿈을 꾸게 한다

*내 마음의 스토리

보이지 않는 눈보다 보이지 않는 마음이 더 불행합니다.

감시 카메라

창을 넘어 찍혔다

창 안에 어둠을 가두고 안경 안의 그림자를 발견했다

바라보아도 보이지 않는 어둠의 그림자가
내 몸으로 숨을 쉬어 온다

점박이 불빛이 철창을 뚫어 가슴에 꽂힌다

서로를 그리는 눈으로 마음을 열지 못한 연민이
등뒤로 숨을 쉬며 벽이 된다

창틀에 묶인 영혼

사람은 사람 모양을 하고
짐승은 짐승 모양을 하고 있다

가슴의 영혼은 보이지 않는 영혼으로
껍데기가 사라지는 순간 영혼은 멈춘다

우리가 항상 혼돈되어 살 때
세상은 흔들린다

오늘은 한 입으로 두 말을 하는
거울을 보았지 않는가

거울 안으로 숨쉬는 너의 모습에서
돼지는 잠자고 있다

돼지 안의 창틀은 기억되고
창틀 안의 영혼은 돼지 되어
국민을 거울 안으로 묶어 버린다

국민이여 다시 태어나 창틀을 부서 버려라
국민의 영혼으로 더러운 거울을 부서 버려라

*내 마음의 스토리

원래 사람들은 남의 잘못은 눈에 잘 띄면서도
자신의 잘못은 깨닫지 못합니다.

아무리 어리석은 사람도 남의 잘못을 꾸짖는 데는 총명하고
아무리 총명한 사람도 자신의 잘못을 용서하는 데는 어리석습니다.

그러므로 남을 꾸짖는 마음으로 자신의 잘못을 꾸짖고
자신의 잘못을 용서하는 마음으로 남의 잘못을 용서해야 합니다.

모래알

개구쟁이 아이의 놀이터에도
모래알의 추억은 웃음소리로 남아 있습니다

모래알은 어릴 적 친구였습니다

무지개 피는 여름날 도란도란 두꺼비집을
아이에게 주었습니다

그 친구 거대한 벙어리
꿈을 앓는 아이가 빌딩숲으로 몰려갑니다

괴로움 앞에서

괴로움이 있다는 것은 행복이 남아 있다는 것이다

눈이 잘 보이지 않는다고 하여 괴로워 마라
앞이 안 보이는 장님도 있다.

몸이 아프다고 하여 괴로워 마라
평생을 방바닥에 누워 행복을 꿈꾸는 사람도 있다

무엇이 그리도 괴로운 일인가

들판의 풀들도 혹독한 겨울을 온몸으로 부디쳐
예쁜 꽃을 피우는데 어찌 마음의 상처가 괴로움인가

행복을 느끼지 못하는 것이 괴로움이다

* 내 마음의 스토리

괴로움을 가지고 있는 사람은 대부분이 이런 말을 합니다.

"왜? 나에게만 이런 불행으로 꽉차있는가?"

그러나 이것은 아주 잘못된 생각입니다.

오히려

"왜? 나는 이만큼 행복하게 살 수 있는가?"

이것을 의심해 보는 것이 좋습니다.

논길을 느낄 때

논두렁이 저리도 무너지지 않는 것은
억세게 갈라진 아비의 손 마디 마디가
한줌 한줌 흙을 움켜잡고 있는 거다

오래도록 들판을 지키고 살아온 삶의 고단함이
소의 등을 휘게도 했건만

논두렁 위로 비닐 봉지 바람따라 먼지가 되고
어미 아비의 가슴은 까마귀의 영혼이 된다

까마귀 바람 타고 나르면 검불 속으로 봄은 오건만
오늘도 아비의 손 마디는 허공으로 논두렁이 되었다

*내 마음의 스토리

초목이 시들어 죽어가면 어느새 뿌리에서 새싹이 돋아납니다.

비록 추운 겨울철이라도 봄의 기운이 살아나니
마침내 양기가 만물을 회생시킵니다.

그러므로 만물이 만물을 죽임에 있어 살아 있는 것이
항상 주인이 됩니다.

이것은 하늘과 땅의 이치입니다.

겨울이 오면

대지는 가난한 마음을 벌판으로 불렀다

늪은 갈대를 휘날려 눈송이를 뿌리고
바람따라 생명이 되어 겨울 이야기를 한다

첫눈을 간절히 바라던 바람은
우산 위에 녹아내렸다

우산 속에 있는 나는
변함없는 몸짓으로 벤치를 지켰다

모든 사람들이 지나가는 순간에도
눈물 없는 빗물이 몸으로 스며오는 것을 느낄 때

몸은 점점 얼어 조각이 되었다

바람을 보면서

변하는 것이 살아 있는 것이라면

삶의 여유를 자양분으로 구석구석 움직여 생명을 전하고

바위 틈 미물에게도 생명을 주어 계절을 느끼게 하나니

분명 생명의 힘으로 우리 앞에 살랑인다

넓은 우주의 공간에도 생명의 모습으로 바람은 일고
오늘이 있기를 소망하여 영혼을 구할 때

보이지 않는 생명이 세상의 이치를 깨닫게 한다

소리

모두는 태어날 때 소리를 지르죠
그 소리는 고통으로부터 시작됩니다
소리는 생명의 시작을 알립니다
만물은 소리를 지르며 태어납니다
소리가 생명이 됩니다
이름없는 풀씨 하나도 생명으로 시작될 땐 고통을 느낍니다
들리지 않는 무너짐과 접촉되어 소리를 냅니다
소리는 생명체임을 알립니다
소리가 시작될 때 세상의 열림이 시작됩니다

*내 마음의 스토리

위대한 생각은 반드시 심들고 험한 불운의 밭에서 이루워진 것입니다. 밭은 흙을 파고 뒤집지 않으면 잡초만 무성할 뿐입니다. 사람도 힘든 일을 하지 않고서는 늘 평범하고 천박함을 면하지 못합니다. 모든 역경은 도리어 인생의 친구이니까요.

현실에 기대어 서면

캄캄한 밤은 촛불을 흔들어 치솟았다
바람은 철로를 따라 일직선으로 불어가고
어둠은 불빛을 감싸고 나무 주위를 맴돌았다
그저 겨울비는 발걸음을 무겁게 툭툭친다
가슴은 따스함을 얻기 위해 몸부림치며 땅바닥에 누웠다
고요히 잠들다. 고요히 잠들어 씨앗이 되다
걸어도 걸어도 보이지 않는 밤을 서성이며
봄이 오는 날 하늘을 향해 심장을 움켜잡고 고동치리라

*내 마음의 스토리

절망하지 마십시오.
비록 그대의 모든 일들이 절망할 수밖에 없다고 하더라도
절망하지 마십시오.
이미 모든 일이 끝난 듯 싶어도 결국에는
또다시 새로운 희망이 생기게 됩니다.

겨울이 오는데

동화를 꿈꾸는 겨울은
벌판의 짚더미에 누워 긴 여름의 추억을 속삭입니다

참새는 진화되지 않은 모습으로 있지만
진화된 모습으로 아이들의 이야기는
방 안에서 졸고 있습니다

겨울의 즐거움도 모르는
호주머니 속의 동전 한 잎이
찬바람과 함께 뒹굴었습니다

틈 사이에서

틈만 있으면 틈을 비집고 풀씨는 꿈을 꿉니다

틈은 자궁처럼 생명을 끌어안고 새싹을 틔웁니다

고요한 밤 별빛 숨소리로 이슬이 맺혀 흐르면
틈에서 풀잎은 푸르게 자라납니다

*내 마음의 스토리

삶에 있어서 걸림돌이란 밟고 넘어지라고 있는 것이 아니라,
그것을 딛고 더 앞으로 나가라는 것입니다.
그 순간 그것은 걸림돌이 아니라 디딤돌이 되는 것입니다.

겨울 서정

꽃은 씨를 달고 겨울에 잠이 듭니다

바람에 몸을 맡기고 잠이 듭니다

풀은 땅을 향해 얼음풀이 되어 겨울로 잠듭니다

추운 그림자와 추운 단풍잎 하나
바람으로 움직일 때
담쟁이 손이 담장에 붙어 손을 말립니다

씨를 매달고 시퍼렇게 멍이 듭니다

씨알의 상상

씨알이 작으면 작을 수록 생명력이 있다

맺는 씨알이 있으면 크나큰 생명력을 가진다

바람과 같이 산야를 향해 생명으로 피어나거나

바람에 날리어 마음속의 꽃으로 피어날 때

상상의 씨알은 행복이 된다

*내 마음의 스토리

하나의 모래알에서 하나의 세계를 보고

한 줄기의 들꽃에서 천국을 봅니다.

조각된 노숙자

광장이 빗줄기 앞으로 질펀히 누워 있다
축축하고 질척한 노숙자는 제 집인 듯
비를 깔고 앉아 군상이 되었다
아는 듯 모르는 듯 다른 얼굴로 스쳐가는 동안
일상의 모습으로 숨을 쉬면
벤치의 군상들은 빗물이 눈물로 웅덩이가 된다

*내 마음의 스토리

항상 곁에 있는 사람을 위해
작지만 "아주 특별한 일"을 해 주십시오.
누군가의 가슴을 따뜻하게 데워 주는 일은
곧 성공과 행복의 비결이니까요.

아침을 향해

무너져 내릴 때에는
담배 한 모금을 물고도 무너진다

비어 있는 냇물 같아도
소낙비 속 강물이 된다

숨쉬는 부유물들이
이해 못하는 물줄기를 따라 움직인다

아침의 햇살은 구름이 없는 하늘이 있기 때문이다

살아가는 일은 일상적이지만 신비롭다

홀로 그리움이 숨쉬면 외로움이 된다

뭇사람에게 떠남의 이유를 묻지 마라

아침엔 어디든 희망을 찾아 떠날 것이다

*내 마음의 스토리

사람은 일을 하기 위해서 이 세상에 태어났습니다.

오직 고요히 눈을 감고 깊이 생각하며, 느끼며, 꿈꾸기 위해
살아 있는 것은 아닙니다.

사람은 누구나 자신의 능력에 맞추어 하고 싶은 일을 할 때가
가장 아름답습니다.

자기가 하는 일에 사랑과 신념을 갖지 못하는 사람은 불행합니다.

번식의 씨알

이 놈의 씨가 어른 애도 없이 숨쉴 공간만 있으면
홀로 그리움을 알아 홀로 그리워하고

잘난 놈이던 못난 놈이던 갈 길을 알지 못해
훗날 선과 악의 씨로 오늘을 사는 것이다

이 놈의 번식이 홀로 되는 번식의 씨와
둘로 되는 번식의 씨로 남는다

홀로 되는 번식의 씨는
구도의 씨가 되어 날아 날아 바람의 길을 인도하고

둘이 되는 번식의 씨는
선과 악을 구분하지 못해 세상을 떠도는 혼란의 씨가 된다

달동네는 새총이 필요하다

잎새가 떨어지는 가지 속으로
새들이 날아 겨울눈이 되었다

봄이 오면 기다림의 이야기를 새싹에 담아
푸득이며 다시 날아 본다

달동네여 일어나 봄을 맞이하라

연탄 구들로 옹기종기 모여 과거를 마시기보다는
현실로 뛰어 불새가 되라

미래도 언제나 숨어 숨을 쉬는 달동네 아이

최루탄이 창가를 향할 때
아이와 분유는 식어 가고

혹독한 부패는 별빛 아리한 능선에 누워
혈세를 개처럼 핥는다

일어서야 한다
꿈을 가져야 한다

달동네는 새총이 있다

새총을 쏘아 희망을 쏘아
오직 하나로 뭉쳐 동상이 되어라
미래의 동상이 되어라

아이를 위해 새총을 쏴라

*내 마음의 스토리

사람은 눈앞에 보이는 것만으로 살아가는 것은 아닙니다.
좀 더 먼곳을 바라보며 미래의 꿈을 바라보며 살아가는 것입니다.
우리는 현재 좀 더 아름다운 것을 원하고
좀 더 보람 있는 것을 원합니다.
안개 낀 현실에 살면서 안개가 없는 꿈을 향해 걸어갑니다.

이상의 날개

봄은 창 밖으로 오는데
닭장을 타면 모두는 잠에 취한다
옷의 무게 만큼 주춤주춤 흐느적거린다

꼭 정해진 도심을 향해
닭장은 바람개비처럼 돌아간다

긴 기억의 상실증이
늘 같은 모양으로 도시를 찍는다

봄이 온다면 가벼운 베옷을 걸치고
닭장 위를 날아보리다

몸이 가벼워진 만큼 묵은 폐의 공기를 뿜어내리다
푸른바람이 부는 들판에서 날아 보리다

여의도 나루

낙엽이 바람을 따라 마포대교를 지나면
여의도 나루는 얼음판이라도 거머질 것 같습니다

강물은 얼음 밑을 흘러 계절을 바꿉니다

칼바람이 물 위를 스쳐가면 철새들이 서너 번 울어대고
느린 날들이 빠른 세월 되어 오늘보다 더 달라진
나루의 그리움을 전합니다

*내 마음의 스토리

물에서 가르침을 얻으십시오. 물은 생명의 소리, 살아 있는 것의 소리, 영원히 생명체가 만들어지는 소리입니다.

봄날

냇가의 물은 휘휘 골을 따라
논으로 흐르고

겨우내 외양간 어미 소
콧바람 써레질을 할 때

송아지 한바탕 텀벙질에 웃음이 절로 난다

새참을 머리에 인 아낙이
조심스레 논둑 길을 걸을 쯤

누렁이 쫄랑쫄랑 앞뒤로 오고 가다
아낙의 흙 한줌에 헐레벌떡 달아난다

들판으로 뛰놀던 개구쟁이 동네를 휘저으면

어느덧 뒷동산의 달님도 웃고 있네

*내 마음의 스토리

한 마리의 제비로 인하여 봄이 오는 것도 아니지만

그 제비가 봄이 되어서야 오는 것도 사실입니다.

제비 뿐만 아니라 모든 땅이나 초목이

그저 막연히 기다리기만 하고 봄에 대한 준비를 하지 않는다면

봄은 영영 오지 않을 것입니다.

어둠이고 싶다

어둠은 골짜기를 타고 내려온다
골목으로 골목으로 어둠은 내려온다
그림자와 함께 차창으로 스며든다
실체의 내가 있으므로 터널은 깊은 그림자를 드리운다
언제인가 한 번은 만난적이 있는 듯한
그 모습이 사라져 다가올 때
설레임보다는 일상의 어둠으로 남고 싶다

*내 마음의 스토리

항상 힘든 쪽으로 가야한다는 정해진 원칙에 따라
우리 스스로의 삶이 뜻한 바대로 이루어져 간다면,
지금은 당장 우리에게 낯설어 보이겠지만
우리에게는 더없이 친숙하고 소중한 것들이 될 것입니다.

순리의 생명

내일의 태양이 도도히 떠오를 지라도
태양이 보이지 않을까 두렵습니다

분명 태양은 떠오를 텐데

과거의 진리보다 현재의 진리를 깨치고자 하는
당신을 바라보면 순리가 있을까 착각합니다

누구나 흘러가는 세상으로 흘러가는 것은
아이가 커서 어른이 되는 것과 같습니다

누구나 생명의 뿌리는 같으나 생각의 차이는 있습니다

늘상 순리의 법은 거스르지 않는 스스로의 자연입니다

길 위에서

멀고도 먼길을 달려왔습니다

왜 그렇게 달리는지도 모릅니다

다가오는 길이

왜 그리 좁아 보이는지도 모르면서

왜 그리 상상하기 어려운 공간이

공허로 숨쉬는지도 모르면서 달려갑니다

오늘도 그 앞이 공허하겠지만

아픈 세월 만큼이나

다가올 아픔을 감지하면서 달려갑니다

혼자가 아닌 아픔이 희망이 되기를 바라면서 달려갑니다

*내 마음의 스토리

인생은 평온함과 행복만이 있는 것은 아닙니다.

아픔과 노력이 필요합니다.

아픔을 두려워하지 말고 슬퍼하지 마십시오.

어려운 고비를 견디면서 노력해 가는 것이 인생입니다.

희망은 언제나 고통의 언덕 너머에서 기다리니까요.

흉점

이 놈이 흉점이 있다 하여 흉점을 빼라 했던이
흉점을 빼고 간이 부었구나

어찌 흉점이 하나뿐이랴
마음의 흉점도 있음을 모르는구나

이 놈이 마음의 흉점까지도 빼주려 했던이
이 놈이 사람되기를 거부하고

비몽사몽 간에 지껄이니 어찌 겉모습과 속모습이 같으랴

살다 보면 내 마음이 선한 것 같고
살다 보면 내 마음이 악한 것 같고

싫은 소리 들으면 마음이 어두워지고

좋은 소리 들으면 마음이 밝아지는 것을
어찌 이 두 가지 중 한 가지를 잊고 살으랴

살아 살아 서로를 사랑하고 이해하면
흉점인들 무슨 상관이랴

마음으로 어루만지면 어찌 그것이 복점이 못되랴

마음의 병이로다
살아 있음의 병이로다

* 내 마음의 스토리

남의 속임수를 깨달아도 말로써 표현하지 않고
업신여김을 받고 서도 얼굴 빛이 변하지 않는다면
그 수양의 정도가 높은 것일 뿐만 아니라,
그 가운데에서 얻는 것이 많을 것입니다.

내 몸은 길이 없네

세월이 흘러 찬바람을 만나면
시계 소리 바람을 차고
누렁이의 꼬리 사이를 지나 어미의 절름거림을 본다

봄을 기다리는 어리석음은 세월이
나를 타이르는 소리

어두워 밝아 오는 하루는
숨쉬기 어려운 어미의 젖가슴으로 파고드는 눈물

영혼으로 떠돌아
소주 한잔 지하도에 얼음이 되었다

어이 살아 기원하는 것이
이토록 타향에 몸을 맡겨 살아 보겠다고

잘 살아 보겠다고
가슴을 후벼 되내어도 시간이 늙음인데

어미 아비 고향에 두고
어이 눈물이 강물이고 나무 가지 흰머리가 아니랴

어느 세월에
이 몸이 어미 아비 옆에 누워 영혼을 쉬게 하랴

*내 마음의 스토리

어떻게 살아야 옳고 훌륭한 삶인가 말하는 것도 물론 중요합니다.
그러나 그것을 실천하는 것이 더 중요합니다.

걷다 보면

너무 무겁게 걸어왔습니다

무겁게 걸어온 날보다

무겁게 걸어갈 날이 어렵습니다

무거움 안에서도 희망을 꿈꾸면

무거움이 사라집니다

오늘 무거운 만큼

내일을 사랑하세요

삶이 꿈인 것처럼 사랑하세요

오늘 당신을 만나서 고맙습니다

걷다 보면 희망이 생기겠지요

오늘 이 만큼이나 걸어왔기에

사랑이 생겼습니다

*내 마음의 스토리

항상 마음속으로 즐거운 듯 명랑하게 생활을 하십시오.
어깨를 활짝 펴고 심호흡을 크게 해보십시오.
그리고 나서 힘차게 노래를 부르십시오.

노래가 아니라면 휘파람이라도 좋습니다.
휘파람이 아니라면 콧노래도 좋습니다.

뿌리

뿌리로 번식하는 놈들은
두리뭉실 뭉쳐 군락을 이루고

가고 싶은 곳으로 모이는 놈들은
철새의 무리를 뿌리라 한다

뿌리를 이용해 번식하는 놈들은
살기 위해서 스스로 죽는 것이 아니라
환경을 이기지 못해 죽고

뿌리를 사칭하여 움직이는 놈들은
둥지를 떠나 새로운 둥지를 만들고

그 놈들이 오염을 만들어 세상을 어지럽게 한다

썩은 뿌리로 뿌리 뿌리 외치며 부패를 만든다

그 놈들은 뿌리가 썩은 놈이다
그 놈들은 환경이 변하지 않는 한
살아 있는 곳을 떠나지 않는 똥파리와 같다

세상에 뿌리 있는 놈들이 뿌리로 엉키어
새끼란 새끼는 다 낳고

그 뿌리 부패하여 아저씨뻘 되는 놈이
자식뻘 되는 놈한테 잡혀 갈 쯤

말 못할 교도소로 혼선된 전화기는 중얼거린다

이 놈의 세상이 부패하는 것은
뿌리가 없기 때문이 아니라 뿌리가 썩어 있기 때문이다

누가 울어 새가 되랴

지금도 지리한 장마는 끝나지 않고
빗줄기는 슬픔처럼 펑펑 쏟아진다

갈망과 조급한 시간들을 생각하지 않으면
지나온 과거를 알 수 없다

몸을 딩굴리다
몇 번이고 저항하는 몸통은 쓰러져 간다

살아온 날이 지루한 앞날을 예견하는 것처럼
서로의 그리움이 있기에
그토록 아픔이 있었는 줄도 몰랐다

세상의 화염병을 잠재우고
최루탄을 잠재운 망난이가

서슬이 시퍼런 내일을 잠재우지 못하는 것은
더 무서운 민주화의 가면일 뿐
마음속의 최루탄임을 알아야 한다

지금 거리로는 못먹고 굶주리는 국민이 있는데
민주화를 입으로 소리친 놈들은
보상금을 달라고 아우성이다

이것이 출세한 놈들의 민주화이다

지금 국민의 혈세를 긁어 먹겠다고 소리치는 놈들 앞에
누가 울어 새가 되랴

죽어도 향기나는 국민의 새가 되어
이 나라를 다시 세울 우리는 없는가

시퍼런
시퍼런 그리움으로 더 맑게 민주화를 할 수는 없는 것인가

깨끗함의 피와 용기로 용서할 수 있는
아픔을 간직할 수는 없단 말인가

*내 마음의 스토리

생각하건대 자신의 이익만을 채우려 하는 자는

곧 돌이켜 도리의 길로 돌아오게 해야 합니다.

생각이 나면 깨닫고 곧 생각을 바꾸면

재앙을 돌이켜 복으로 돌릴 수 있습니다.

만약 악한 마음을 선한 마음으로 돌이키려 할 때

결단코 가벼운 행동은 피해야 합니다.

바람 앞에서

바람은 모든 생명체를 스쳐
바람의 존재를 보여줍니다

어느 곳엔들 바람은 있습니다

거세게 불어오기 전에 바람은 아름답습니다

꽃들에게 춤추는 바람이
우리에겐 시원한 바람이 됩니다

바람이 불어오면
들판의 모든 생명체는 몸을 흔들어 춤을 춥니다

흔들다 지쳐 쓰러지지 않을 정도로
바람은 아름답게 가슴으로 잠이 듭니다

사람답다는 것은

먼지는 퍼져 먼지가 사라지지만
말은 할수록 멀리 퍼져 사람을 다치게 합니다

사람은 먼지보다 못합니다
먼지는 쌓여 거름이 되지만
사람은 죽어도 말이 살아 사람을 다치게 합니다

말없는 자연이 아름답다는 것은
말없이 그대로를 보여 주기 때문입니다

때로는 사람들의 말이 행복을 전하기도 하지만
불행을 전하기도 합니다

사람답다는 것은 바람에 흔들리는 풀잎을 보고도
고마움을 전할 때 사람답다 할 것입니다

코드는 구멍의 나라

어이 지지리도 복이 없어
구멍만 파는 코드 세상

밝은 세상을 보려 하니
구멍이 빛을 흡수하여 빛 볼 일이 없구나

구멍 속의 소꼽놀이
목구멍도 열지 못한 구멍 속의 썩은 냄새

풀잎 속에 오줌 싸듯 스며들어
썩은 구멍 좋다 하니 눈물이 한강인 듯하구나

어이 코드가 구멍이랴

허구한 날 구멍을 파놓고 썩으려 하니

머릿속이 정신 병동이구나

숨 쉬는 콧구멍은 구멍이 아닌가
코드만 구멍인가

풀잎의 눈물은 감전되어 쓰러져 가는데

*내 마음의 스토리

아무리 유능한 능력을 가진 자라도 기회나 직위가 주어지지 않으면
그 능력을 발휘할 수 없습니다.

또한 현명한 대통령이라 해도 아랫 사람을 잘못 쓰면
어리석은 대통령이란 평을 후대에까지 듣게 됩니다.

하얗게 눈이 오면

흰빛으로 흰세상이 되었습니다

눈은 흰빛입니다

눈은 하얗게 세상을 덮고 검은 세상을 희게 만듭니다

눈이 내리면 따스한 찻잔을 보듬고

하얀 세상에서 하얀 꿈으로 하얀 생각을 하고 싶습니다

*내 마음의 스토리

여가를 활용하지 못하는 사람은 늘 여가 시간이 없습니다.

나이를 지나

바람은 나무가지를 휘고 심장의 일부를 도려냈다

비둘기는 도로 위 보도 블록을 쪼고
하늘을 쪼고
달아나는 바람을 쪼았다

어디로 가는 걸까
어디에서 무엇을 먹고 사나

어미는 몹시 지쳐 있었다

아픔 앞에서 콕콕 찌르는 아픔 앞에서
내가 희망이기를 눈빛으로 보여 줄 때
바람에게도 어미의 숨결이 있었다

한잔의 가을

흰구름 잔 속으로 한잔의 가을이 피었다

여름 내내 담아 놓았던 무지개가 잔 속으로 피어나면
오색 바람이 단풍으로 모락모락 피어오른다

세상의 시름을 바람으로 날릴 때

산을 오르는 예쁜 그들의 속삭임이
산허리 구름 속으로 한잔 가을이 된다

흙에 대한 생각

흙은 무지개 빛 생명체의 부활이다

썩어서 썩어서 생명을 부르는 산소의 그리움이다

덮어도 덮어도 깨어나는 풀씨의 이야기이고
생명의 가슴을 어루만지는 윤회이다

*내 마음의 스토리

사람이 일구는 땅은 가장 훌륭한 생명이며 스승입니다.
이처럼 땅은 영원한 삶과 가르침을 줍니다.

삶의 늪

허약한 다리를 흔들었다
붕어는 물결이 없는 어항 속을 맴돌았다

보이지 않는 것의 물결은 예측할 수 없는 허공을 맴돌았다

죽어도 그리 죽음을 설치며 죽지는 않는다
준비하지 않는 것이 도피는 아니다

흔들어 힘을 내야 하는 나의 손은 힘없이 멈추고
바보스런 기계 음이 가슴을 쓸어내릴 때
나무가지 하나 흔들려 가지 않았다

*내 마음의 스토리

궁핍은 영혼과 정신을 낳고 불행은 위대한 인물을 낳습니다.

도청의 복제

생각이 길거리에 일렬로 쓰러진다

들리지 않는 생각은 길거리에 딩굴다 지쳐 쓰러진
영혼일지도 모른다

쾌락일지라도 우리는 듣거나 느끼지도 못한다

생각은 길거리를 향해 바람에 날리고
시대의 이야기는 복제된 상태로 황폐화된다

공간은 오염되고 미래는 절망한다

생각은 복제되는 것이 아니라
공간으로 살아 숨쉬는 상상이어야 한다

뻐꾸기

뻐꾸기는 밤에만 운다
거치른 나무줄기에 매달려 운다
허공의 늪을 향해 울어댄다
숨가쁜 도로 위 반쯤 죽은 도시를 보고 뻐꾸기는 침묵한다
밤마다 밤마다 울던 뻐꾸기는 오염된 도시
그 도시의 나무를 흐느적 흐느적 기어오른다
새로운 생명이기를 바라며 기어오른다
덜렁이는 심장 하나 나무가지에 매달고 운다
대낮의 소음을 따라 밤에만 흐느낀다

＊내 마음의 스토리

사람이 사람을 보살피는 것은 눈도 머리도 아닌 오직 마음뿐입니다.

생명의 물

물은 생명의 영혼으로 흐릅니다

물이 흐르는 곳에서 우리는 숨을 쉽니다

물은 생명의 힘이 되어 흘러갑니다

큰소리를 지르면서 흘러가거나
조용한 소리로 흘러가거나 우리와 함께 흘러갑니다

상상의 몸짓으로 지나칠 때에도 흘러갑니다

내가 고이 죽어 자연의 거름으로 남을 때까지
내 이름이 잊혀져 갈 순간에도
물은 영원히 생명이 되어 흘러갑니다

혼자 중얼거린다

이제 시간은 하루를 버리고

자정이 지나간 자리를 정리한다

그렇게 잘나고 그렇게 못나고

울며불며 지나간 자리로

공장의 기계 소리는 굴뚝으로 소리지른다

복잡한 듯 달아난 하루는

환풍기 속으로 담배 연기를 끌어당기고

소리 소문도 없이 이야기를 만든다

어처구니 없는 변명은 바람으로 날아가고

시간은 약속된 순서의 일부만이 남아 혼자서 중얼거린다

*내 마음의 스토리

사람이 가장 먼저 해야 할 일은
자기 자신에게 진실해야 한다는 것입니다.

스스로는 진실하지 못하면서
상대가 자기에게 어찌 진실하기를 바라겠습니까?

만약 스스로에게 진실하다면
원하는 일들이 순리대로 풀릴 것입니다.

희망이란

살아가는 동안 삶이 불행한 것 같아도
항상 우리는 희망으로 살아갑니다

세상에 태어나 잘 먹고 잘 살려 하는 것은
살아 있는 사람의 공통된 희망입니다

우리는 그 희망의 중심으로 달려갑니다

달리는 순간 포기하고 싶은 생각과
머무르고 싶은 생각이 들 것입니다

그러나 삶을 깨닫지 못한다면 희망은 없습니다

희망은 항상 삶 속으로 열려 있는 보금자리이니까요

*내 마음의 스토리

어려움에 처했을 때 어떻게 하면 도움을 받을 수 있을까.

처음 하나는 선한 희망을 잃지 말아야 합니다.

또한 둘은 노력을 멈추지 말아야 합니다.

항상 선한 희망을 잃지 않고 노력을 계속하는 한,

도움을 받을 수 있게 된다는 확신과 믿음이 필요합니다.

변하지 않는 것

오늘 아비와 어미의 가르침을 어기고
내일을 말하지 마세요

아비도 어미도
젊은 날이 있었답니다

오늘 가르침을 외면한다면
내일의 가르침도 없으니까요

태양이 뜨고 지고
달이 뜨고 지고
세월은 나를 위해 늦추지 않습니다

아비 어미의 가르침이 멈출 때
당신은 이미 아비 어미가 되어 있겠지요

아버지 어둠으로 잠들다

바람으로 오셔서 바람으로 가시다

그리움이 이별되어 가시다

오늘 분명 계셨지만 오늘 바람되어 가시다

업보 연기 영원한 숨소리인 줄로 알았던 그 순간이
멈추어 한 줄기 눈물로 흘렀다

그리 긴 시간이었는가 했더니 바로 이 순간
바람처럼 내 몸을 흔들고 잠들다

2011년 5월 8일(음력 4월 6일) 밤.

무지개 빛 친구

물끄러미 하늘을 보니 무지개 빛 구름이 내게 오는 거야
참 아름답구나 했지

무심코 지나치면 보이지 않는 무지개 빛
그 무지개 빛을 보았어

조용히 조용히
지나치다 잃어버릴 그 아름다움이 하늘에 있었어

오늘 문득 하늘을 보니
오래도록 그리울 그 친구가 무지개 빛인 거야
참 행복하지 그 무지개 빛이

(조현종 님의 누드 대상을 축하하며)